COLLECTION
FOLIO/THÉÂTRE

Marivaux

Les Fausses Confidences

*Édition présentée, établie et annotée
par Michel Gilot*

Gallimard

PRÉFACE

Dorante s'est épris passionnément d'Araminte, « veuve d'un homme qui avait une grande charge dans les finances ». Si « extravagant[e] » que lui paraisse la prétention de se faire aimer d'elle, il se prête au « projet » de son ancien valet, Dubois, qui ne craint pas de lui présenter l'« affaire » comme « infaillible, absolument infaillible ». Pour agir sur Araminte Dubois se fait auprès d'elle le truchement du jeune homme, puis s'arrange pour exploiter tout à la fois les réactions de l'entourage et les émotions de Dorante, fait intervenir les personnages qu'il faut au moment où il le faut, provoque, en dosant les effets de scandale, toutes sortes d'« incidents » soigneusement calculés : bref, il entraîne la jeune femme dans une intrigue vertigineuse. Au dénouement, quitte à se perdre auprès de sa bien-aimée (mais il est alors bien le seul à croire la chose possible), Dorante pourra lui dire : « Dans tout ce qui s'est passé chez vous il n'y a de vrai que ma passion »...

En tête d'une version des Fausses Confidences destinée à être jouée chez le duc d'Orléans, Collé, qui fut un excellent praticien du théâtre, écrivait vers la fin des années 1760, sous le titre de Sujet de cette comédie :

« *Un jeune avocat devient le matin l'intendant d'une veuve fort riche ; cette veuve devient amoureuse folle l'après-dînée ; et l'avocat son mari le soir* »... *Encore faudrait-il préciser qu'« avocat », l'homme en question aurait simplement pu le devenir et qu'il est absolument ruiné : qu'en un jour il puisse épouser cette jeune veuve dont on chiffre les revenus à 50 000 livres (somme de l'ordre de cinq millions actuels), c'est à cette histoire à dormir debout que nous nous mettons à croire dans une telle pièce :* « *En filant cette action et en lui donnant la durée qu'elle doit avoir naturellement, ce sujet pouvait aisément fournir la matière d'un roman intéressant. Mais tenter de le réduire en comédie, c'est ce qui aurait paru impraticable à tout autre qu'à M. de Marivaux. Il y a réussi supérieurement.* [...] *C'est un chef-d'œuvre que cette comédie ; c'est une espèce de* magie drama-tique. »

L'audace de l'intrigue

Il faut donner à la rencontre de ces deux derniers mots toute sa force. Pour l'expliquer, Collé évoquait très justement « *l'art* » *que l'auteur* « *a mis à faire passer [la] jeune veuve par toutes les gradations du sentiment les plus fines et les plus délicates* ». *Mais ces* « *grada-tions* », *ces mouvements du cœur, sans jamais faire état de la moindre analyse intérieure, Marivaux les a rendus sensibles par des moyens purement dramatiques : des mots et des gestes, des silences, des tons, des sou-rires... Dans ce qu'elles ont de plus fort et de plus exal-tant,* Les Fausses Confidences, *défi à l'impossible, fondent leur emprise sur les pouvoirs du théâtre.*

La conception de la pièce supposait aussi une audace morale qui a donné lieu à bien des malentendus. Car toute l'intrigue repose sur les machinations d'un domestique et Marivaux a tenu à souligner l'énorme disproportion de fortune qui sépare ses protagonistes ; il méprisait beaucoup trop l'argent pour s'en offusquer : en apprenant le terrible défaut de son soupirant (celui d'être « sans bien »), Angélique ne s'écriait-elle pas, dans La Mère confidente *: « Ah ! je respire [...]. Je l'enrichirais donc ? quel plaisir ! » (I, 2) ? Mais le succès même de l'entreprise de Dorante, le jeune homme pauvre, a souvent choqué, et d'autant plus que c'était un démiurge, un valet visionnaire, Dubois, qui l'annonçait, d'entrée de jeu, avec un certain cynisme : « Il me semble que je vous vois déjà en déshabillé dans l'appartement de Madame. » Au temps de Marivaux, le marquis d'Argenson, toujours enclin à dénoncer ses tendances bourgeoises, trouvait qu'« il y a[vait] de l'indécence au parti d'épouser son intendant », mais ajoutait avec un certain soulagement : « Il est vrai que l'on suppose la dame plus riche que qualifiée. » Depuis plus d'un siècle, l'intrigue a suscité des jugements profondément désapprobateurs, et Louis Jouvet est allé jusqu'à écrire : « Je ne sais pas de spectacle plus éprouvant pour la dignité humaine que les scènes où l'on voit — furtifs et moralement chaussés d'espadrilles — l'ancien maître d'hôtel et son complice, le jeune homme pauvre, manigançant des intrigues, ourdissant des trames, échafaudant des embûches pour mener à bien leur projet de mettre à mal la riche veuve[1]. »*

Plus près de nous, les metteurs en scène ont souvent

---

1. *Conferencia*, juin 1939.

misé, en principe, comme Jacques Lassalle, sur l'ambiguïté de cette comédie : «*Nouvelles surprises de l'amour
ou variations sur l'art de parvenir ? Les deux sans
doute. Mais la liaison ne cesse pas d'être dangereuse.*»
Seulement, peut-on encore parler d'ambiguïté si Dorante
n'est qu'un redoutable chasseur de dot, si les «*surprises
de l'amour*» sont pour Araminte, et tout le profit de
l'opération pour lui ? Dès lors qu'on ne lui refuse pas a
priori *le droit d'épouser une femme aussi riche, on en
revient donc à un débat traditionnel : apparaît-il comme
un amoureux sincère ? ou n'est-il que le bénéficiaire et
l'exécutant d'une entreprise digne des plus hardis cheva-
liers d'industrie ? «Mais que ne fait-on pas, pour avoir
ce qu'on aime ?» disait le jeune Cléandre au dénouement du* Père prudent et équitable. *Vingt-cinq ans
plus tard, Araminte semble lui donner la réplique
quand elle excuse tout ce que Dorante a* «fait pour
gagner [s]on cœur» : *n'est-il pas* «permis à un amant
de chercher les moyens de plaire» *(III, 12) ? Même d'uti-
liser des* «moyens» *aussi détournés et aussi contestables
que ceux du complot où cet* «amant» *a tenu sa partie
avec une telle perfection ? Jusqu'à écrire et faire inter-
cepter la lettre fictive où, jouant le tout pour le tout, il
annonce à un* «ami» *que, par désespoir amoureux, il
va le suivre sur les mers...*

On a souvent remarqué aussi et surtout le sang-froid
avec lequel Dorante laisse Marton, la jeune suivante
d'Araminte, s'imaginer qu'il l'aime, allant jusqu'à se
dire, en «riant», à un moment décisif : «*Tout a réussi !
elle prend le change à merveille !*» (II, 8)... Mais encore
faudrait-il rappeler aussi la froideur qu'il ne cesse de
manifester envers la jeune fille — une fille charmante
qui s'est mise à réagir à peu près comme la Bélise des

Femmes savantes *! — et la fermeté de sa mise en garde lorsqu'il s'agit d'esprit de lucre : «Tenez, mademoiselle Marton, vous êtes la plus aimable fille du monde; mais ce n'est que faute de réflexion que ces mille écus vous tentent.» Comme Geneviève quand Jacob ironise sur sa conduite dans* Le Paysan parvenu, *elle aurait dû comprendre! Dans l'exécution des directives de Dubois, Dorante est effectivement assez détaché et maître de lui-même pour illustrer dignement les thèses du* Paradoxe *sur le comédien. En revanche, dans ses relations avec Araminte, le contact qui s'établit entre eux, on pourrait le considérer encore comme un acteur très efficace, mais suivant une conception absolument opposée : profondément ému, au point parfois d'être à peu près réduit à ce qu'il ressent, sans s'apercevoir, peut-être, que c'est son émotion qui touche autant sa bien-aimée. Jamais le complot n'aurait pu réussir sans l'implacable machination de Dubois, ni la tremblante sincérité du jeune premier.*

Marivaux s'est certainement plu à surprendre, en commençant par faire peser sur sa pièce plus que de l'ambiguïté : une atmosphère équivoque, puisque la scène inaugurale (I, 2) représente une surenchère par rapport aux intrigues à la Dancourt[1]. *Dubois va jusqu'à faire «tourner» son ancien maître pour le «considér[er]» à loisir, comme pour le mettre sur le marché : «Allons, Monsieur [...], il n'y a point de plus grand seigneur que vous à Paris. Voilà une taille qui vaut toutes les dignités possibles.» Or l'intrigue ne cessera d'être scandée par de rapides scènes, très amusantes, où, en le bousculant, il lui arrache aveu sur aveu : «Je*

---

1. Marivaux lui a délibérément emprunté le nom de cinq de ses personnages.

*l'aime avec passion, et c'est ce qui fait que je tremble »
(I, 2). «Je ne vous écoute plus. — Je crains plus que
jamais » (II, 17). «Songe que je l'aime » (III, 1)… Mais
aucune de ces répliques ne révèle mieux l'état d'âme fon-
cier du jeune homme que tel mot où son ravissement
s'exprime dans une sorte d'heureux lapsus, profondément révélateur : «Elle espère vous guérir par l'habitude
de la voir. — Sincèrement ? » (I, 16).*

Dans la deuxième feuille du Cabinet du philosophe *Marivaux avait évoqué, comme une passion toujours grandissante, le «désir de voir » qui caractérise
profondément l'amour, du moins chez les amants «cons-
tants ». On ne saura jamais ce qu'il peut y avoir d'exact
dans le détail des «fausses confidences » de Dubois sur
l'amour fou de Dorante, ni ce que celui-ci ressent au
juste lorsqu'il écrit sa lettre truquée; mais son ancien
valet n'allait-il pas à l'essentiel en lui disant d'emblée :
«Vous l'avez vue, et vous l'aimez ? » C'est cette vérité
élémentaire que confirment le ton, si contenu, mais si
ferme, des paroles qu'il adresse à Araminte («Il n'y a
pas moyen, Madame, mon amour m'est plus cher que
ma vie », II, 2), l'excuse dont il fait état au dénouement, en invoquant comme un «charme » tout-puis-
sant, «l'espérance du plaisir de [la] voir », ou même
l'affection que le naïf Arlequin, candide voix de la
nature, voue à son nouveau maître, en le voyant
«contempl[er] de tout son cœur » (II, 10) le tableau
représentant sa bien-aimée, le «considér[er] […] avec
toute la satisfaction possible ».*

L'audace du dramaturge s'exerce aussi dans le
domaine social, car l'intrigue où Dorante poursuit
son rêve éveillé représente une plongée dans le «monde
vrai » : le monde grouillant des vues intéressées dont il*

était question aussi dans Le Cabinet du philosophe[1], *à travers le récit fantastique qui portait ce titre.
Chemin faisant, Marivaux fait apparaître des traits
qui s'apparentent à ce que Diderot appellera des « idio-
tismes » de conduite. Personnage moliéresque, la mère
d'Araminte, Mme Argante, ne jure que par* le rang :
*par avance, elle se gargarise du « beau nom » que va
porter sa fille en devenant « comtesse Dorimont ». Mais
pour faciliter ce mariage qui peut éviter au Comte la
perte d'un important procès, elle n'hésite pas un instant
à « charger » Dorante de dire à sa fille que, « bien ou
mal fondé », « son droit est le moins bon » (I, 10)… Et
le Comte lui-même ne résiste pas davantage à l'idée
d'acheter le jeune homme « pour le mettre dans [ses]
intérêts » : « S'il ne faut que de l'argent » (II, 4)… Et
Marton ne pense qu'à l'aubaine que lui a promise le
Comte : un « présent de mille écus le jour de la signature du contrat » ! Dès lors, que lui importe le sort de sa
protectrice ? « Se fâche-t-on qu'une fourmi rampe ? »
disait dans* Le Legs *le cynique L'Épine. Et à son tour
M. Remy, très sérieux procureur, témoigne tout aussi
bien du pouvoir aveuglant de l'argent, car il n'a
pas l'ombre d'un doute lorsqu'il apprend qu'une très
riche dame de trente-cinq ans (comparse plus que pro-
bable de Dubois) s'offre à épouser son neveu : comment
n'en serait-il par ébloui ? Il ne lui avait vraiment pas
fallu beaucoup de temps pour « fianc[er] » Marton à
Dorante : il n'en perd pas davantage cette fois pour
venir intimer à son neveu l'ordre de renoncer à elle sans
délai : que pourrait-elle contre « quinze mille livres de
rente, pour le moins » ? Ainsi va le monde…*

---

1. *Journaux et œuvres diverses*, Classiques Garnier, p. 389 et suiv.

« *Bonhomme* » *plein de vie, certainement capable d'attachement et de cordialité, M. Remy, qui sans doute aime bien Dorante (à sa façon, expéditive), ne croit au fond qu'à ce qui peut se chiffrer. Loin de ne vivre que platoniquement son rêve aristocratique, Mme Argante apparaît, elle, comme une femme à soupçons : d'emblée, chez le nouvel intendant d'Araminte elle flaire l'intrus, et la méfiance qu'elle manifeste à son égard s'apparente assez à ce que nous appelons le racisme. Comiquement d'ailleurs elle continuera jusqu'au bout de se borner à* soupçonner *(avec une indicible horreur, mais un reste solide d'incrédulité) ce qui peut se passer entre* « cet homme-là » *et sa fille... Jusqu'au moment où, plus moliéresque encore que Géronte ou Mme Pernelle, elle referme la comédie sur elle-même, en s'indignant de sa* « chute », *puis trouve un superbe mot de belle-mère pour refuser de l'être :* « Ah ! ce maudit intendant ! Qu'il soit votre mari tant qu'il vous plaira ; mais il ne sera jamais mon gendre. »

Ces deux êtres, inflexibles comme des forces de la nature, se rejoignent dans les sarcasmes que leur inspirent les sentiments et les répliques de Dorante, « berger fidèle » : « J'ai *le cœur pris : voilà qui est fâcheux. Ah, ah, le cœur est admirable !* » (II, 2). « Son *sort ! Le* sort *d'un intendant : que cela est beau !* » (III, 7). « Que *j'adore ! Ah ! que j'adore !* » (III, 8)... *Mais en entendant parler de son neveu avec un tel mépris, M. Remy se met à prendre fait et cause pour lui, bec et ongles sortis, car* « le bonhomme est quelquefois brutal » (III, 6). *Tandis que le Comte reste en retrait, surtout sensible à son discrédit auprès d'Araminte, entre ce bourgeois si fier de l'être et cette bourgeoise aussi imbue de préjugés aristocratiques que, selon Montaigne (III, 10), certains pré-*

lats peuvent être «*prélatés*» («*jusques au foie*»), *le heurt social est par instants d'une violence inégalée dans le théâtre du temps. Moments de vérité d'où se dégagent des leçons élémentaires : pourquoi un homme n'en vaudrait-il pas un autre ? pourquoi Dorante n'aurait-il pas le droit d'aimer Araminte, et même de l'*«ador[er]»* — comme «s'il était riche» (III, 8) ? Et pourquoi d'ailleurs Araminte n'aurait-elle pas celui d'épouser Dorante ? Car c'est aussi de cette façon que pouvait se poser la question dans la France du cardinal Fleury.*

Araminte à cœur ouvert

Le destin de la jeune femme est en principe tout tracé : veuve d'un opulent financier, elle est à peu près vouée, comme tant d'autres dans son cas, à épouser en secondes noces un grand seigneur. Ce devrait être le comte Dorimont, qui semble promis à une haute carrière et assez riche, en tout cas, pour ne pas être déterminé par la fortune d'Araminte. Si distant soit-il, on le verra s'intéresser suffisamment au cours de l'intrigue, avec plus qu'un soupçon de jalousie, pour donner à penser qu'il prend à cœur le projet. De toute son autorité, Mme Argante, mère possessive comme il y en a tant dans le théâtre de Marivaux, pousse sa fille à ce mariage, outrée de la voir «s'endor[mir] dans [son] état» [de] «bourgeoise» (I, 10), et Marton déplore, elle aussi, l'«indolence» qu'elle manifeste à cet égard. Araminte confiera bientôt à Dorante qu'«on veut [la] marier» (I, 12), mais qu'elle n'a «pas encore» de «penchant» pour le Comte (I, 15). C'est tout dire.

On participe à la vie de la maison, largement ouverte

*sur le monde extérieur et, comme ses relations tout ami-
cales avec sa suivante, le temps qui passe reflète sa
« situation », « si tranquille et si douce » (I, 15). Dubois
vient lui donner des nouvelles de « la marquise », chez
laquelle elle a « fait envoyer » ; sa marchande lui apporte
des étoffes ; elle se promène dans le jardin ; son intendant lui rend compte des consultations qu'il a menées
au sujet de son procès... Autant de moments qui anti-
cipent sur le drame bourgeois, mais ne répondent nullement à une volonté de « réalisme » : moments familiers et
sereins qui contribuent à donner à l'intrigue une belle
aération. Dans cette perspective la pièce pourrait s'appeler* Une journée de la vie d'Araminte.*

Cette jeune veuve vit parmi les siens sans s'en laisser
accroire. Quelques mots lui suffisent pour manifester ses
réactions sans jamais les forcer (« Que ma mère est frivole ! », I, 12) et toujours elle a le ton juste pour exprimer des points de vue qui, à l'époque, n'avaient rien de
banal. La connaissance qu'elle a acquise des relations
amoureuses dans le « monde » — une société aristocratique gagnée par le libertinage — apparaît dans l'idée
désabusée qu'elle s'est faite des « hommes » : « car [ils]
ont des fantaisies... » (I, 14). Mais, attentive aux autres
et sensible comme elle est, l'injustice qui règne dans cette
société de privilégiés et de parvenus la froisse bien
davantage encore, puisqu'elle se dit « toujours fâchée » et
même « blessé[e] » « de voir d'honnêtes gens sans fortune,
tandis qu'une infinité de gens de rien, et sans mérite, en
ont une éclatante » (I, 7). Frappée par la « bonne mine »
de Dorante qui vient de la saluer « si gracieusement » de
la terrasse, elle confie à Marton qu'elle se fait « quelque
scrupule » de le prendre pour intendant (« n'en dira-t-on
rien ? ») ; puis elle l'accueille, avec beaucoup de simpli-*

cité, *de confiance et de sympathie :* « *Ce qu'il y a de consolant pour vous, c'est que vous avez le temps de devenir heureux* »... *Affleure ici le thème du droit au bonheur qui marquera imperceptiblement toute la pièce, tandis que quelques répliques suffisent à donner à Araminte un visage ineffaçable : celui d'une femme profondément naturelle; on dirait presque celui de* LA *femme naturelle, dont les romanciers du* XVIIIe *siècle n'ont cessé de rêver, de Prévost à Laclos.*

Cette femme si « *raisonnable* » *(I, 2) va être l'objet d'une forme d'agression implacable : un complot systématique qui s'apparente profondément aux entreprises des libertins, telles qu'on les trouve évoquées, par exemple, dans* Les Liaisons dangereuses. « *Je connais mon sexe* » *(I, 2), disait laconiquement Flaminia, la virtuose de* La Double Inconstance, *et le narrateur des* Égarements *du cœur et de l'esprit avait écrit l'année précédente à propos de la marquise de Lursay :* « *Elle avait étudié avec soin son sexe et le nôtre, et connaissait tous les ressorts qui les font agir.* » *Ce dont il sera question dans l'intrigue des* Fausses Confidences, *c'est bien d'atteindre la femme dans Araminte, comme on peut toucher telle ou telle corde de clavecin en sachant que cette corde répondra. Lorsque Dubois lui dépeint en termes paroxystiques l'amour de Dorante dans la scène la plus hardie de la pièce (I, 14), elle en est beaucoup moins choquée quand elle apprend que c'est elle qui est l'objet d'un tel amour. Trois ans plus tôt, Marivaux avait évoqué la mentalité des coquettes dans un passage particulièrement amer du* Cabinet du philosophe : « *Elle ne sent rien que le plaisir de voir un fou, un homme troublé, dont la démence, l'ivresse et la dégradation font honneur à ses charmes. Voyons, dit-elle, jusqu'où ira sa folie; contem-*

plons ce que je vaux dans les égarements où je le jette[1]. »
*Araminte n'a rien d'une coquette, ni de ces mondaines
frustrées à laquelle trop d'actrices ont cru devoir ramener
son rôle, et pourtant, sans même s'en douter, elle est profondément flattée par l'amour fou dont Dubois lui fait
ressentir toute l'intensité. Le dramaturge le souligne dans
ses didascalies :* «Araminte un peu boudant », «Araminte avec négligence »... *Il la traite comme une
enfant.*

À *partir de là va s'enclencher une action vertigineuse
où rien ne sera négligé de ce qui peut piquer son amour-
propre ou éveiller en elle des émotions profondes : l'image
de Dorante qu'on rend pour elle aussi obsédante que l'est
pour Phèdre celle d'Hippolyte ; l'intrusion d'autrui dans
son histoire (la «dame » dont le jeune homme refuse si
fermement devant elle l'offre de mariage ; Marton, surtout, qui réagit exactement comme le voulait Dubois et,
manipulée par ses soins, intervient, parfois à la seconde,
aux moments où il le faut) ; le «profond secret » qu'elle
a demandé à son valet et le sentiment de compromission
qu'elle en éprouve (il s'arrange pour que ce secret, mal
gardé, devienne pour Araminte de plus en plus pesant,
jusqu'à ce qu'elle le chasse, avec horreur) ; le scandale
enfin, que s'ingénient à faire éclater les deux complices,
avec l'affaire du portrait et celle de la lettre. La jeune
femme plonge progressivement dans* un autre temps,
proprement onirique.

*Du début à la fin de l'intrigue, le problème qu'elle doit
résoudre est en principe tout simple : gardera-t-elle cet
intendant trop séduisant qui s'est montré d'emblée si
loyal ? La moindre initiative pourrait le perdre, mais il*

---

1. Troisième feuille, éd. cit., p. 374.

*se renferme obstinément dans son «zèle» de serviteur
fidèle. En se donnant pour prétexte de le démasquer, elle
éprouve irrésistiblement le besoin de le* faire parler, *de
lui arracher enfin un aveu. Quand elle lui dicte la lettre
où elle annonce au Comte qu'elle va l'épouser sans tar-
der, tout se passe comme si elle avait perdu ce qui la ren-
dait elle-même : son visage n'est plus que celui de la
cruauté... Dorante ayant fini par se jeter à ses genoux,
à l'instant même où elle lui pardonne son «égarement»,
Marton «paraît et s'enfuit» : son soupirant lui est
alors littéralement «insupportable» (II, 15); mais elle
reprend la lettre et, tout de suite après, assure à Dubois
que Dorante «ne [lui] a rien dit» : c'est pour le spectateur un second instant où elle se trouve prise* en flagrant délit.

*Face aux soupçons de son entourage, il ne lui restera
plus qu'à se défendre avec toutes ses armes : la froideur,
le sourire, une ironie très drue («Monsieur Remy [...],
j'ai envie de deviner que vous m'aimez aussi»; «Je suis
d'ailleurs comme tout le monde, j'aime assez les gens de
bonne mine», III, 6); puis, quand l'amour de Dorante
aura été rendu public, une «vivacité» qui amène le
Comte à se retirer et laisse sa mère, une fois de plus,
interloquée. On est alors aux antipodes d'une certaine
tradition de la «comédie italienne» (telle qu'avait pu
l'illustrer, par exemple,* La Dame amoureuse par
envie, *de Luigi Riccoboni[1]), où il s'agissait de rabattre
les prétentions d'une femme trop fière succombant à
l'amour, et finalement, en somme, de punir une femme
d'être elle-même. Dans ces moments difficiles Araminte
n'est en effet jamais humiliée ni ridicule : c'est un beau*

1. Voir notice p. 170.

combat, qui lui donne l'occasion de se retrouver. Juste avant la scène de la lettre dictée, elle confiait à Dubois qu'elle se sentait obligée de «prendre des biais» avec son intendant : «Me fierais-je à un désespéré ? Ce n'est plus le besoin que j'ai de lui qui me retient, c'est moi que je ménage.» Juste avant le scandale produit par la lettre fictive de Dorante, envers et contre son entourage elle le rassure en lui disant qu'il restera : *«Dans cette occasion-ci, c'est à moi-même que je dois cela» (III, 7). Tout en lui servant encore d'alibi, cette réplique quasi cornélienne l'aide à conquérir son indépendance.*

Y a-t-il un moment d'où l'on pourrait dater son amour ? Du premier regard qu'elle a jeté sur Dorante, en éprouvant pour lui un début d'inclination, ce genre de «penchant» soudain dont Marton s'étonne au début de l'intrigue ? De l'instant du dénouement où «d'un ton vif et naïf », *elle s'écrie :* «Et voilà pourtant ce qui m'arrive» ? *Que veut donc dire : aimer ? Le parcours qu'elle vient d'accomplir de moins en moins obscurément ne s'achève vraiment qu'un peu plus tard : quand Dorante prouve la qualité de son amour en lui avouant tout à coup, quitte à tout perdre, l'imposture à laquelle il a si largement prêté la main. C'est alors, pour eux deux, suivant des mots que Sartre appliquait au grand théâtre,* « le moment du choix qui engage une morale et toute une vie[1] ». *Elle* «le regard[e] quelque temps sans parler », *puis le reconnaît pour* « le plus honnête homme du monde » *et, sa sérénité retrouvée, va pouvoir signifier,* «froidement », *à son entourage sa décision de l'épouser (III, 12).*

---

1. *La Rue*, 1947.

« Magie dramatique »

Comme Claude Crébillon l'a écrit dans la préface de ses Égarements du cœur et de l'esprit, *« l'amour seul préside ici », mais à la fois manifesté et mis en question sous un bon nombre de formes et d'images qui contribuent à donner aux* Fausses Confidences *leur complexité et leur retentissement. Autant de conceptions de la vie, autant de façons de l'envisager ; mais l'inverse est tout aussi vrai. Ainsi pour M. Remy, sans argent rien ne sert de cultiver « les beaux sentiments » en se payant de mots, comme son « idiot » de neveu ; en revanche, si l'on est riche, pas de problème : « Je puis me marier [...], cette envie-là vient tout d'un coup, il y a tant de minois qui vous la donnent » (I, 3)... Dans une optique très différente, celle de Mme Argante, on ne peut être vraiment épris si l'on n'est pas jaloux (car être jaloux, c'est montrer qu'on désire posséder pleinement l'objet aimé). Cette ancienne conception aristocratique, le Comte semble l'illustrer, mais toujours d'une façon discrète, distante, on dirait presque évanescente, qui le peint tout entier, car s'il laisse paraître une susceptibilité assez chatouilleuse, il procède par litotes et n'utilise le vocabulaire affectif qu'avec précaution : « Araminte ne me hait pas, je pense » ; « J'ai souhaité, par pure tendresse, qu'il vous en détournât [de plaider] ».*

L'amour de Dorante s'accompagne d'un kaléidoscope d'images dont on ignorera toujours jusqu'à quel point elles peuvent motiver le jeune homme, troubler ou fasciner la jeune femme : l'amant serviteur de sa dame, parfait amant courtois, qui, dans des cas extrêmes, ne se distingue en rien du domestique «exact» (II, 1); le paria d'excellente société, né pour la vocation du malheur, qui s'exprime dans la lettre truquée de l'acte III (pour éviter le mépris de sa bien-aimée, son seul recours ne peut être que de s'embarquer, comme Saint-Preux le fera quelques années plus tard); l'amoureux psychotique, beau ténébreux mélancolique, dont Dubois évoque et mime pour Araminte les manifestations cyclothymiques: le taciturne, qui met toute sa rage de vivre dans un sentiment sans espoir, suit partout son idole et se glace sur place à la contempler, puis laisse éclater tout à coup son «égarement», son «emportement», dans des crises de colère forcenée — «il voulut me battre» —, mais retombe bientôt dans les «gémissements», les «pleurs», «le plus triste état du monde» (I, 14 et II, 12)... Le rôle un peu trouble de substitut de Dorante que Dubois lui-même joue auprès d'Araminte si familièrement, devenant son âme damnée, parachève cette construction de mots, d'images et de mythes quasi pirandellienne.

Cependant le cas de Marton est peut-être plus troublant encore, car il témoigne éloquemment de ce que peuvent être l'emprise et les illusions de l'amour. Quand, séance tenante, M. Remy la «fiance» à son neveu, elle reste un instant rêveuse: «En vérité, tout ceci a l'air d'un songe»: c'est un des beaux moments gratuits qui parsèment l'action de la pièce en en prolongeant les échos longuement. Mais bientôt l'amour s'empare d'elle en lui révélant un idéal de «tendresse» et de «délicatesse» (II, 3 et 9) qu'elle se met à choyer profondément: avec l'affection de sa maîtresse, seul semblait compter pour elle l'argent, et voilà que Dorante l'aime, pense-t-elle tout exaltée et tout attendrie, jusqu'à sacrifier sa «fortune» pour ses beaux yeux (II, 9)! Mais bientôt

aussi, impulsive, activiste même comme elle est, l'amour
l'amène à trahir Araminte de toute son énergie, en ayant
pour Dorante, dans tel aparté, les accents d'une petite
Hermione (III, 3 : «L'indigne!»). Après avoir tout tenté,
jusqu'à l'absurde, pour pouvoir l'épouser et fini par
comprendre qu'il ne l'avait jamais aimée, au contact
d'Araminte elle pourra commencer à se résigner, dans
son amitié retrouvée, avec une mélancolie sans phrases
qui garde quelque chose de poignant. Elle ne connaissait
rien à la vie, et la vie lui a donné une dure leçon...
Mais rien n'interdit de lui appliquer le mot que Per-
dican prononcera si malencontreusement à propos de
Rosette dans On ne badine pas avec l'amour, *si*
proche de ce qu'Araminte disait, avec plus de nuances,
à Dorante au début de la pièce[1] : «Elle est jeune, elle
sera riche, elle sera heureuse[2].»

Ainsi, l'issue lumineuse de l'intrigue est entourée par
une évocation multiforme de l'amour, lourde de pensées
et de rêves, qui ressemble assez à une analyse spectrale;
mais ce qui caractérise sans doute plus profondément
encore l'originalité des Fausses Confidences, *c'est le*
jeu que Marivaux institue, plus hardiment qu'il ne
l'avait jamais fait, sur le double registre du comique et
de l'émotion.

Tout commence avec l'élan conquérant grâce auquel
l'action de la pièce pourra donner lieu à une contem-
plation esthétique. L'intrigue ne serait peut-être bien, en
effet, qu'une petite affaire sordide si le dramaturge ne
s'arrangeait pas, dès le défi que lance Dubois, pour faire
rayonner, dans le rythme de ses phrases, un sentiment de

---

1. «Ce qu'il y a de consolant pour vous, c'est que vous avez le temps
de devenir heureux» (I, 7).
2. Dernière scène de la pièce.

sur-puissance et d'allégresse communicative. «Nous sur-
prendrons, Monsieur, nous surprendrons», dira, dans
une perspective comparable, Merlin, le valet-auteur-met-
teur en scène, quelque peu magicien (et même apprenti-
sorcier!) des Acteurs de bonne foi. *Comme poète*
comique, Marivaux aime à exagérer, tant dans la
conception de ses intrigues que dans la conduite de ses
scènes extrêmes : par l'intermédiaire de Dubois, il nous
prend dans son jeu et, malgré toute sa verve et sa
rondeur, ce valet qui tire toutes les ficelles et manipule
les êtres avec tant de cynisme paraîtrait pour le moins
très déplaisant s'il n'était d'abord et surtout le maître-
humoriste qui peut se permettre de s'écrier en parfaite
connaissance de cause, au dénouement, en parlant
d'Araminte : «Ouf! ma gloire m'accable : je mérite-
rais bien d'appeler cette femme-là ma bru. » Et ce serait
l'ultime ponctuation de l'intrigue si Arlequin, en pour-
suivant ce propos, ne traduisait à sa façon, joyeusement
naturaliste, la formule bien connue : «Ils furent heu-
reux et eurent beaucoup d'enfants» : «Pardi, nous nous
soucions bien de ton tableau à présent : l'original nous
en fournira bien d'autres copies. »

Dans la grande scène initiale où Dubois évoque pour
Araminte l'amour fou de Dorante, il dose avec art ses
effets, tout en sachant bien que plus il frappera fort,
à coup d'énormités formulées sur le ton le plus naïf,
plus son discours portera; mais il s'arrange aussi pour
rendre à la fois son récit très prenant et ses propos très
drôles. Une ou deux petites phrases, un peu cocasses
ou malicieusement tendancieuses, pourraient suffire à
donner une idée de cet humour : «Il a un respect, une
adoration, une humilité pour vous, *qui n'est pas*
concevable. [...] Il ne veut que vous voir, vous considé-

rer, regarder vos yeux, vos grâces, votre belle taille *; et puis c'est tout.* » Mais il y a plus : *toute la suite de la pièce découle de son geste initial, quand il se touche le front, en disant de Dorante :* « Son défaut, c'est là », *et qu'il explique à Araminte que, par sa faute, son maître a perdu tous ses moyens. Comme la réussite amoureuse du jeune homme, la plupart des grands moments comiques de la pièce sont liés à cette forme paradoxale, hypothétique d'*absence, *on dirait presque d'*inexistence : *les coups de colère de M. Remy contre son neveu ; l'acharnement naïf que met Mme Argante à vouloir faire entendre raison à sa fille (*« Quand je vous dis qu'il vous aime, j'entends qu'il est amoureux de vous, en bon français, qu'il est, ce qu'on appelle amoureux, qu'il soupire pour vous »*, III, 6) ; mais aussi et surtout les premières répliques du dénouement, où les deux jeunes gens, effarés, se parlent éperdument d'amour en se parlant d'affaires :*

DORANTE, *ému* : Un de vos fermiers est venu tantôt, Madame.

ARAMINTE, *émue* : Un de mes fermiers !… cela se peut bien.

DORANTE : Oui, Madame,… il est venu.

ARAMINTE, *toujours émue* : Je n'en doute pas.

Jamais l'émotion n'avait été plus intense que dans ce passage si amusant ; mais déjà au moment où Dorante venait de fournir à Araminte le premier signe tangible de son amour en refusant si fermement d'en épouser une autre, M. Remy prenait à témoin la jeune femme de la folie de son neveu et lui faisait passer, sans le savoir, un bien mauvais moment : « Je tiens celle que vous aimez

pour une guenon, si elle n'est pas de mon sentiment»
(II, 2)… De tels effets de contrepoint pourraient être
considérés comme une forme de réponse victorieuse à la
«comédie larmoyante» qui était au plus haut de sa
vogue depuis le triomphe du Préjugé à la mode, *de*
Nivelle de la Chaussée. Ce qui contribue à créer l'atmo-
sphère si particulière des Fausses Confidences, *c'est*
l'art de passer, presque instantanément, d'un ton ou
d'un tempo à un autre, mais aussi de tirer un usage
subtil des ressources les plus simples du théâtre. Ainsi
dans la scène où Araminte dicte à Dorante la lettre au
Comte, si cruels que soient ses apartés, c'est précisément
leur présence qui désamorce ce que la scène pouvait avoir
de plus déplaisant : on participe à un jeu du chat et de
la souris, et l'on suit avec une curiosité grandissante les
réactions de son partenaire : finira-t-il par se découvrir ?

Ailleurs, ce sont de tout petits objets qui sont investis
d'une profonde signification : la boîte qui contient le
portrait d'Araminte et dont l'ouverture donne lieu à
un intense suspens ou la lettre fictive de Dorante, livrée
à la profanation, lue à haute voix par le Comte, commen-
tée et mise en valeur, avec une indignation pittoresque,
par la «femme brusque et vaine» (I, 10) qu'est
Mme Argante. Dans cette intrigue si serrée, organisée
avec une rigueur géométrique, chaque scène peut être
savourée pour elle-même et chaque personnage tient une
partie indispensable à l'harmonie d'ensemble : témoin,
même, les interventions d'Arlequin, badaud très sympa-
thique. Mais ce qui compte plus que tout, ce sont les effets
de rythme, au moins aussi importants parfois que les
répliques elles-mêmes, les moments de silence où le rêve
s'installe, les grands passages d'électrisation, de fulgu-
rante accélération, et tout ce qui dans la pièce est fina-

lement d'ordre musical, comme l'admirable scène de réconciliation entre Araminte et Marton. Dernière «grande pièce» de Marivaux, Les Fausses Confidences sont l'œuvre d'un virtuose au sommet de son art. À l'instar des tragédies de Racine ou d'Eschyle, on peut les considérer comme un poème dramatique.

Michel Gilot

Les Fausses Confidences

COMÉDIE EN TROIS ACTES, EN PROSE, REPRÉSENTÉE POUR LA PREMIÈRE FOIS PAR LES COMÉDIENS-ITALIENS LE SAMEDI 16 MARS 1737

ARAMINTE, fille de madame Argante.
DORANTE, neveu de monsieur Remy.
MONSIEUR REMY, procureur[1].
MADAME ARGANTE.
ARLEQUIN, valet d'Araminte.
DUBOIS, ancien valet de Dorante.
MARTON, suivante d'Araminte.
LE COMTE.
UN DOMESTIQUE parlant.
UN GARÇON joaillier.

La scène est chez madame Argante[2].

ACTE PREMIER

SCÈNE PREMIÈRE

DORANTE, ARLEQUIN

ARLEQUIN, *introduisant Dorante.*

Ayez la bonté, Monsieur, de vous asseoir un moment dans cette salle[1], mademoiselle Marton est chez Madame et ne tardera pas à descendre.

DORANTE

Je vous suis obligé.

ARLEQUIN

Si vous voulez, je vous tiendrai compagnie de peur que l'ennui ne vous prenne, nous discourerons en attendant.

DORANTE

Je vous remercie, ce n'est pas la peine, ne vous détournez point[2].

ARLEQUIN

Voyez, Monsieur, n'en faites pas de façon, nous avons ordre de Madame d'être honnête, et vous êtes témoin que je le suis.

DORANTE

Non, vous dis-je, je serai bien aise d'être un moment seul.

ARLEQUIN

Excusez, Monsieur, et restez à votre fantaisie.

SCÈNE II

DORANTE, DUBOIS *entrant*
avec un air de mystère.

DORANTE

Ah ! te voilà ?

DUBOIS

Oui, je vous guettais.

DORANTE

J'ai cru que je ne pouvais me débarrasser d'un domestique qui m'a introduit ici, et qui voulait me désennuyer en restant. Dis-moi, monsieur Remy n'est donc pas encore venu ?

DUBOIS

Non, mais voici l'heure à peu près qu'il vous a dit qu'il arriverait. *(Il cherche, et regarde.)* N'y a-t-il là

personne qui nous voie ensemble ? Il est essentiel
que les domestiques ici ne sachent pas que je vous
connaisse.

DORANTE

Je ne vois personne.

DUBOIS

Vous n'avez rien dit de notre projet à monsieur
Remy votre parent ?

DORANTE

Pas le moindre mot. Il me présente de la
meilleure foi du monde, en qualité d'intendant, à
cette dame-ci dont je lui ai parlé, et dont il se
trouve le procureur ; il ne sait point du tout que
c'est toi qui m'as adressé à lui : il la prévint hier, il
m'a dit que je me rendisse ce matin ici, qu'il me
présenterait à elle, qu'il y serait avant moi, ou que
s'il n'y était pas encore, je demandasse une mademoiselle Marton. Voilà tout, et je n'aurais garde
de lui confier notre projet, non plus qu'à personne ; il me paraît extravagant, à moi qui m'y
prête. Je n'en suis pourtant pas moins sensible à
ta bonne volonté, Dubois, tu m'as servi, je n'ai pu
te garder, je n'ai pu même te bien récompenser
de ton zèle ; malgré cela, il t'est venu dans l'esprit
de faire ma fortune [1] : en vérité, il n'est point de
reconnaissance que je ne te doive !

DUBOIS

Laissons cela, Monsieur ; tenez, en un mot je
suis content de vous, vous m'avez toujours plu ;

vous êtes un excellent homme, un homme que j'aime, et si j'avais bien de l'argent il serait encore à votre service.

DORANTE

Quand pourrai-je reconnaître tes sentiments pour moi ? ma fortune serait la tienne ; mais je n'attends rien de notre entreprise, que la honte d'être renvoyé demain.

DUBOIS

Hé bien, vous vous en retournerez.

DORANTE

Cette femme-ci a un rang dans le monde ; elle est liée avec tout ce qu'il y a de mieux : veuve d'un mari qui avait une grande charge dans les finances ; et tu crois qu'elle fera quelque attention à moi, que je l'épouserai, moi qui ne suis rien, moi qui n'ai point de bien ?

DUBOIS

Point de bien ! Votre bonne mine est un Pérou[1] : tournez-vous un peu que je vous considère encore : allons, Monsieur, vous vous moquez, il n'y a point de plus grand seigneur que vous à Paris. Voilà une taille qui vaut toutes les dignités possibles, et notre affaire est infaillible, absolument infaillible ; il me semble que je vous vois déjà en déshabillé dans l'appartement de Madame.

DORANTE

Quelle chimère !

DUBOIS

Oui, je le soutiens. Vous êtes actuellement dans votre salle et vos équipages sont sous la remise.

DORANTE

Elle a plus de cinquante mille livres de rente, Dubois.

DUBOIS

Ah! vous en avez bien soixante, pour le moins[1].

DORANTE

Et tu me dis qu'elle est extrêmement raisonnable?

DUBOIS

Tant mieux pour vous, et tant pis pour elle. Si vous lui plaisez, elle en sera si honteuse, elle se débattra tant, elle deviendra si faible, qu'elle ne pourra se soutenir qu'en épousant; vous m'en direz des nouvelles, vous l'avez vue, et vous l'aimez?

DORANTE

Je l'aime avec passion, et c'est ce qui fait que je tremble!

DUBOIS

Oh! vous m'impatientez avec vos terreurs: eh que diantre! un peu de confiance; vous réussirez, vous dis-je. Je m'en charge, je le veux, je l'ai mis là[2]; nous sommes convenus de toutes nos actions, toutes nos mesures sont prises; je connais l'humeur de ma maîtresse, je sais votre mérite, je sais mes talents, je vous conduis, et on vous aimera, toute raisonnable qu'on est ; on vous épousera, toute fière qu'on est, et on vous enrichira, tout ruiné que vous êtes, entendez-vous ? fierté, raison et richesse, il faudra que tout se rende. Quand l'amour parle, il est le maître, et il parlera[1] : adieu ; je vous quitte ; j'entends quelqu'un, c'est peut-être monsieur Remy, nous voilà embarqués, poursuivons. *(Il fait quelques pas, et revient.)* À propos, tâchez que Marton prenne un peu de goût pour vous. L'Amour et moi nous ferons le reste.

SCÈNE III

MONSIEUR REMY, DORANTE

MONSIEUR REMY

Bonjour, mon neveu, je suis bien aise de vous voir exact. Mademoiselle Marton va venir, on est allé l'avertir. La connaissez-vous ?

DORANTE

Non, Monsieur ; pourquoi me le demandez-vous ?

MONSIEUR REMY

C'est qu'en venant ici, j'ai rêvé à une chose... Elle est jolie au moins.

DORANTE

Je le crois.

MONSIEUR REMY

Et de fort bonne famille, c'est moi qui ai succédé à son père ; il était fort ami du vôtre ; homme
un peu dérangé ; sa fille est restée sans bien ; la
dame d'ici a voulu l'avoir ; elle l'aime, la traite bien
moins en suivante qu'en amie ; lui a fait beaucoup
de bien, lui en fera encore, et a offert même de la
marier. Marton a d'ailleurs une vieille parente
asthmatique dont elle hérite, et qui est à son aise ;
vous allez être tous deux dans la même maison ; je
suis d'avis que vous l'épousiez : qu'en dites-vous ?

DORANTE, *sourit à part.*

Eh !… mais je ne pensais pas à elle.

MONSIEUR REMY

Hé bien, je vous avertis d'y penser ; tâchez de lui
plaire ; vous n'avez rien, mon neveu, je dis rien
qu'un peu d'espérance ; vous êtes mon héritier,
mais je me porte bien, et je ferai durer cela le plus
longtemps que je pourrai, sans compter que je
puis me marier ; je n'en ai point d'envie, mais cette
envie-là vient tout d'un coup, il y a tant de minois
qui vous la donnent : avec une femme on a des
enfants, c'est la coutume, auquel cas serviteur au
collatéral[1] ; ainsi, mon neveu, prenez toujours vos
petites précautions, et vous mettez en état de vous
passer de mon bien, que je vous destine aujourd'hui, et que je vous ôterai demain peut-être.

DORANTE

Vous avez raison, Monsieur, et c'est aussi à quoi
je vais travailler.

MONSIEUR REMY

Je vous y exhorte. Voici mademoiselle Marton, éloignez-vous de deux pas, pour me donner le temps de lui demander comment elle vous trouve.

Dorante s'écarte un peu.

SCÈNE IV

MONSIEUR REMY, MARTON, DORANTE

MARTON

Je suis fâchée, Monsieur, de vous avoir fait attendre ; mais j'avais affaire chez Madame.

MONSIEUR REMY

Il n'y a pas grand mal, Mademoiselle, j'arrive. Que pensez-vous de ce grand garçon-là *(montrant Dorante)* ?

MARTON, *riant.*

Eh ! par quelle raison, monsieur Remy, faut-il que je vous le dise ?

MONSIEUR REMY

C'est qu'il est mon neveu.

MARTON

Hé bien, ce neveu-là est bon à montrer ; il ne dépare point la famille.

MONSIEUR REMY

Tout de bon ? c'est de lui dont j'ai parlé à Madame pour intendant, et je suis charmé qu'il vous revienne : il vous a déjà vue plus d'une fois chez moi quand vous y êtes venue[1]; vous en souvenez-vous ?

MARTON

Non, je n'en ai point d'idée.

MONSIEUR REMY

On ne prend pas garde à tout. Savez-vous ce qu'il me dit la première fois qu'il vous vit ? Quelle est cette jolie fille-là ? *(Marton sourit.)* Approchez, mon neveu. Mademoiselle, votre père et le sien s'aimaient beaucoup, pourquoi les enfants ne s'aimeraient-ils pas ? En voilà un qui ne demande pas mieux ; c'est un cœur qui se présente bien.

DORANTE, *embarrassé.*

Il n'y a rien là de difficile à croire.

MONSIEUR REMY

Voyez comme il vous regarde : vous ne feriez pas là une si mauvaise emplette.

MARTON

J'en suis persuadée ; Monsieur prévient en sa faveur, et il faudra voir.

MONSIEUR REMY

Bon, bon ! il faudra ! Je ne m'en irai point que cela ne soit vu.

MARTON, *riant.*

Je craindrais d'aller trop vite.

DORANTE

Vous importunez Mademoiselle, Monsieur.

MARTON, *riant.*

Je n'ai pourtant pas l'air si indocile.

MONSIEUR REMY, *joyeux.*

Ah ! je suis content, vous voilà d'accord. Oh çà,
mes enfants *(il leur prend les mains à tous deux)*, je
vous fiance en attendant mieux. Je ne saurais rester ; je reviendrai tantôt. Je vous laisse le soin de
présenter votre futur à Madame. Adieu, ma nièce.

Il sort.

MARTON, *riant.*

Adieu donc, mon oncle.

SCÈNE V

MARTON, DORANTE

MARTON

En vérité, tout ceci a l'air d'un songe. Comme
monsieur Remy expédie ! votre amour me paraît
bien prompt, sera-t-il aussi durable ?

DORANTE

Autant l'un que l'autre, Mademoiselle.

MARTON

Il s'est trop hâté de partir, j'entends Madame qui vient, et comme, grâce aux arrangements de monsieur Remy, vos intérêts sont presque les miens, ayez la bonté d'aller un moment sur la terrasse, afin que je la prévienne.

DORANTE

Volontiers, Mademoiselle.

MARTON, *en le voyant sortir.*

J'admire le penchant dont on se prend tout d'un coup l'un pour l'autre.

SCÈNE VI

ARAMINTE, MARTON

ARAMINTE

Marton, quel est donc cet homme qui vient de me saluer si gracieusement, et qui passe sur la terrasse ? Est-ce à vous à qui il en veut ?

MARTON

Non, Madame, c'est à vous-même.

ARAMINTE, *d'un air assez vif.*

Hé bien, qu'on le fasse venir, pourquoi s'en va-t-il ?

MARTON

C'est qu'il a souhaité que je vous parlasse auparavant. C'est le neveu de monsieur Remy, celui qu'il vous a proposé pour homme d'affaires.

ARAMINTE

Ah ! c'est là lui ! Il a vraiment très bonne façon.

MARTON

Il est généralement estimé ; je le sais.

ARAMINTE

Je n'ai pas de peine à le croire : il a tout l'air de le mériter. Mais, Marton, il a si bonne mine pour un intendant, que je me fais quelque scrupule de le prendre ; n'en dira-t-on rien ?

MARTON

Et que voulez-vous qu'on dise ? Est-on obligé de n'avoir que des intendants mal faits ?

ARAMINTE

Tu as raison. Dis-lui qu'il revienne. Il n'était pas nécessaire de me préparer à le recevoir. Dès que c'est monsieur Remy qui me le donne, c'en est assez ; je le prends.

MARTON, *comme s'en allant.*

Vous ne sauriez mieux choisir. *(Et puis revenant.)* Êtes-vous convenue du parti que vous lui faites ? Monsieur Remy m'a chargée de vous en parler.

ARAMINTE

Cela est inutile. Il n'y aura point de dispute
là-dessus. Dès que c'est un honnête homme, il
aura lieu d'être content. Appelez-le.

MARTON, *hésitant à partir.*

On lui laissera ce petit appartement qui donne
sur le jardin, n'est-ce pas?

ARAMINTE

Oui, comme il voudra; qu'il vienne.

Marton va dans la coulisse.

SCÈNE VII

DORANTE, ARAMINTE, MARTON

MARTON

Monsieur Dorante, Madame vous attend.

ARAMINTE

Venez, Monsieur; je suis obligée à monsieur
Remy d'avoir songé à moi. Puisqu'il me donne
son neveu, je ne doute pas que ce ne soit un présent qu'il me fasse. Un de mes amis me parla
avant-hier d'un intendant qu'il doit m'envoyer
aujourd'hui; mais je m'en tiens à vous.

DORANTE

J'espère, Madame, que mon zèle justifiera la
préférence dont vous m'honorez, et que je vous

supplie de me conserver. Rien ne m'affligerait tant à présent que de la perdre.

MARTON

Madame n'a pas deux paroles.

ARAMINTE

Non, Monsieur; c'est une affaire terminée; je renverrai tout. Vous êtes au fait des affaires apparemment; vous y avez travaillé?

DORANTE

Oui, madame; mon père était avocat, et je pourrais l'être moi-même[1].

ARAMINTE

C'est-à-dire que vous êtes un homme de très bonne famille, et même au-dessus du parti que vous prenez.

DORANTE

Je ne sens rien qui m'humilie dans le parti que je prends, Madame; l'honneur de servir une dame comme vous n'est au-dessous de qui que ce soit, et je n'envierai la condition de personne.

ARAMINTE

Mes façons ne vous feront point changer de sentiment. Vous trouverez ici tous les égards que vous méritez; et si, dans les suites[2], il y avait occasion de vous rendre service, je ne la manquerai point.

MARTON

Voilà Madame : je la reconnais.

ARAMINTE

Il est vrai que je suis toujours fâchée de voir d'honnêtes gens sans fortune, tandis qu'une infinité de gens de rien, et sans mérite, en ont une éclatante ; c'est une chose qui me blesse, surtout dans les personnes de votre âge ; car vous n'avez que trente ans tout au plus ?

DORANTE

Pas tout à fait encore, Madame.

ARAMINTE

Ce qu'il y a de consolant pour vous, c'est que vous avez le temps de devenir heureux.

DORANTE

Je commence à l'être d'aujourd'hui, Madame.

ARAMINTE

On vous montrera l'appartement que je vous destine ; s'il ne vous convient pas, il y en a d'autres, et vous choisirez. Il faut aussi quelqu'un qui vous serve et c'est à quoi je vais pourvoir. Qui lui donnerons-nous, Marton ?

MARTON

Il n'y a qu'à prendre Arlequin, Madame. Je le vois à l'entrée de la salle et je vais l'appeler. Arlequin ? Parlez à Madame.

SCÈNE VIII

ARAMINTE, DORANTE, MARTON, ARLEQUIN

ARLEQUIN

Me voilà, Madame.

ARAMINTE

Arlequin, vous êtes à présent à Monsieur ; vous le servirez ; je vous donne à lui.

ARLEQUIN

Comment, Madame, vous me donnez à lui ! Est-ce que je ne serai plus à moi ? Ma personne ne m'appartiendra donc plus[1] ?

MARTON

Quel benêt !

ARAMINTE

J'entends qu'au lieu de me servir, ce sera lui que tu serviras.

ARLEQUIN, *comme pleurant.*

Je ne sais pas pourquoi Madame me donne mon congé : je n'ai pas mérité ce traitement ; je l'ai toujours servie à faire plaisir.

ARAMINTE

Je ne te donne point ton congé, je te payerai pour être à Monsieur.

ARLEQUIN

Je représente à Madame que cela ne serait pas juste : je ne donnerai pas ma peine d'un côté, pendant que l'argent me viendra d'un autre. Il faut que vous ayez mon service, puisque j'aurai vos gages, autrement je friponnerais, Madame.

ARAMINTE

Je désespère de lui faire entendre raison.

MARTON

Tu es bien sot ! Quand je t'envoie quelque part, ou que je te dis : Fais telle ou telle chose, n'obéis-tu pas ?

ARLEQUIN

Toujours.

MARTON

Eh bien, ce sera Monsieur qui te le dira comme moi, et ce sera à la place de Madame et par son ordre.

ARLEQUIN

Ah ! c'est une autre affaire. C'est Madame qui donnera ordre à Monsieur de souffrir mon service, que je lui prêterai par le commandement de Madame.

MARTON

Voilà ce que c'est.

ARLEQUIN

Vous voyez bien que cela méritait explication.

UN DOMESTIQUE, *vient.*

Voici votre marchande qui vous apporte des étoffes, Madame.

ARAMINTE

Je vais les voir, et je reviendrai. Monsieur, j'ai à vous parler d'une affaire ; ne vous éloignez pas.

SCÈNE IX

DORANTE, MARTON, ARLEQUIN

ARLEQUIN

Oh çà, Monsieur, nous sommes donc l'un à l'autre, et vous avez le pas sur moi. Je serai le valet qui sert, et vous le valet qui serez servi par ordre.

MARTON

Ce faquin avec ses comparaisons ! Va-t'en.

ARLEQUIN

Un moment, avec votre permission. Monsieur, ne payerez-vous rien ? Vous a-t-on donné ordre d'être servi gratis ?

Dorante rit.

MARTON

Allons, laisse-nous. Madame te payera ; n'est-ce pas assez ?

ARLEQUIN

Pardi, Monsieur, je ne vous coûterai donc guère ? On ne saurait avoir un valet à meilleur marché.

DORANTE

Arlequin a raison. Tiens, voilà d'avance ce que je te donne.

ARLEQUIN

Ah ! voilà une action de maître. À votre aise le reste [1].

DORANTE

Va boire à ma santé.

ARLEQUIN, *s'en allant.*

Oh ! s'il ne faut que boire afin qu'elle soit bonne [2] ; tant que je vivrai, je vous la promets excellente. *(À part.)* Le gracieux camarade qui m'est venu là par hasard !

SCÈNE X

DORANTE, MARTON, MADAME ARGANTE,
qui arrive un instant après.

MARTON

Vous avez lieu d'être satisfait de l'accueil de Madame ; elle paraît faire cas de vous, et tant mieux, nous n'y perdons point. Mais voici madame

Argante ; je vous avertis que c'est sa mère, et je devine à peu près ce qui l'amène.

MADAME ARGANTE, *femme brusque et vaine.*

Hé bien, Marton, ma fille a un nouvel intendant que son procureur lui a donné, m'a-t-elle dit, j'en suis fâchée ; cela n'est point obligeant pour monsieur le Comte, qui lui en avait retenu un ; du moins devait-elle attendre, et les voir tous deux. D'où vient préférer celui-ci ? Quelle espèce d'homme est-ce ?

MARTON

C'est Monsieur, Madame.

MADAME ARGANTE

Eh ! c'est Monsieur ! je ne m'en serais pas doutée ; il est bien jeune.

MARTON

À trente ans on est en âge d'être intendant de maison, Madame.

MADAME ARGANTE

C'est selon. Êtes-vous arrêté, Monsieur ?

DORANTE

Oui, Madame.

MADAME ARGANTE

Et de chez qui sortez-vous ?

DORANTE

De chez moi, Madame : je n'ai encore été chez personne.

MADAME ARGANTE

De chez vous ? Vous allez donc faire ici votre apprentissage ?

MARTON

Point du tout, Monsieur entend les affaires ; il est fils d'un père extrêmement habile.

MADAME ARGANTE, *à Marton à part.*

Je n'ai pas grande opinion de cet homme-là. Est-ce là la figure d'un intendant ? Il n'en a non plus l'air…

MARTON, *à part aussi.*

L'air n'y fait rien : je vous réponds de lui ; c'est l'homme qu'il nous faut.

MADAME ARGANTE

Pourvu que Monsieur ne s'écarte pas des intentions que nous avons, il me sera indifférent que ce soit lui ou un autre.

DORANTE

Peut-on savoir ces intentions, Madame ?

MADAME ARGANTE

Connaissez-vous monsieur le comte Dorimont ? c'est un homme d'un beau nom ; ma fille et lui allaient avoir un procès ensemble, au sujet d'une terre considérable ; il ne s'agissait pas moins que de savoir à qui elle resterait, et on a songé à les marier, pour empêcher qu'ils ne plaident. Ma fille est veuve d'un homme qui était fort considéré dans le monde, et qui l'a laissée fort riche ; mais madame la comtesse Dorimont aurait un rang si élevé, irait de pair avec des personnes d'une si grande distinction, qu'il me tarde de voir ce mariage conclu ; et je l'avoue, je serai charmée moi-même d'être la mère de madame la comtesse Dorimont, et de plus que cela peut-être ; car monsieur le comte Dorimont est en passe d'aller à tout[1].

DORANTE

Les paroles sont-elles données de part et d'autre ?

MADAME ARGANTE

Pas tout à fait encore, mais à peu près : ma fille n'en est pas éloignée. Elle souhaiterait seulement, dit-elle, d'être bien instruite de l'état de l'affaire et savoir si elle n'a pas meilleur droit que monsieur le Comte, afin que, si elle l'épouse, il lui en ait plus d'obligation. Mais j'ai quelquefois peur que ce ne soit une défaite. Ma fille n'a qu'un défaut ; c'est que je ne lui trouve pas assez d'élévation : le beau nom de Dorimont et le rang de comtesse ne la touchent pas assez ; elle ne sent pas le désagrément qu'il y a de n'être qu'une bourgeoise. Elle s'endort dans cet état, malgré le bien qu'elle a.

DORANTE, *doucement.*

Peut-être n'en sera-t-elle pas plus heureuse, si elle en sort.

MADAME ARGANTE, *vivement.*

Il ne s'agit pas de ce que vous en pensez : gardez votre petite réflexion roturière, et servez-nous, si vous voulez être de nos amis.

MARTON

C'est un petit trait de morale qui ne gâte rien à notre affaire.

MADAME ARGANTE

Morale subalterne qui me déplaît.

DORANTE

De quoi est-il question, Madame ?

MADAME ARGANTE

De dire à ma fille, quand vous aurez vu ses papiers, que son droit est le moins bon ; que si elle plaidait, elle perdrait.

DORANTE

Si effectivement son droit est le plus faible, je ne manquerai pas de l'en avertir, Madame.

MADAME ARGANTE, *à part à Marton.*

Hum ! quel esprit borné ! *(À Dorante.)* Vous n'y êtes point ; ce n'est pas là ce qu'on vous dit : on vous charge de lui parler ainsi, indépendamment de son droit bien ou mal fondé.

DORANTE

Mais, Madame, il n'y aurait point de probité à la tromper.

MADAME ARGANTE

De probité ! j'en manque donc, moi ? quel raisonnement ! C'est moi qui suis sa mère, et qui vous ordonne de la tromper à son avantage, entendez-vous ? c'est moi, moi.

DORANTE

Il y aura toujours de la mauvaise foi de ma part.

MADAME ARGANTE, *à part à Marton.*

C'est un ignorant que cela, qu'il faut renvoyer. Adieu, Monsieur l'homme d'affaires, qui n'avez fait celles de personne [1].

Elle sort.

SCÈNE XI

DORANTE, MARTON

DORANTE

Cette mère-là ne ressemble guère à sa fille.

MARTON

Oui, il y a quelque différence, et je suis fâchée de n'avoir pas eu le temps de vous prévenir sur son humeur brusque. Elle est extrêmement entêtée de ce mariage, comme vous voyez. Au surplus que vous importe ce que vous direz à la fille, dès que la mère sera votre garant ? vous n'aurez rien à vous reprocher, ce me semble ; ce ne sera pas là une tromperie.

DORANTE

Eh ! vous m'excuserez : ce sera toujours l'engager à prendre un parti qu'elle ne prendrait peut-être pas sans cela. Puisque l'on veut que j'aide à l'y déterminer, elle y résiste donc ?

MARTON

C'est par indolence.

DORANTE

Croyez-moi, disons la vérité.

MARTON

Oh çà, il y a une petite raison à laquelle vous devez vous rendre ; c'est que monsieur le Comte me fait présent de mille écus[1] le jour de la signature du contrat ; et cet argent-là, suivant le projet de monsieur Remy, vous regarde aussi bien que moi, comme vous voyez.

DORANTE

Tenez, mademoiselle Marton, vous êtes la plus aimable fille du monde ; mais ce n'est que faute de réflexion que ces mille écus vous tentent.

MARTON

Au contraire, c'est par réflexion qu'ils me tentent. Plus j'y rêve, et plus je les trouve bons.

DORANTE

Mais vous aimez votre maîtresse : et si elle n'était pas heureuse avec cet homme-là, ne vous reprocheriez-vous pas d'y avoir contribué pour une si misérable somme ?

MARTON

Ma foi, vous avez beau dire. D'ailleurs, le Comte est un honnête homme, et je n'y entends point de finesse. Voilà Madame qui revient, elle a à vous parler. Je me retire ; méditez sur cette somme, vous la goûterez aussi bien que moi.

DORANTE

Je ne suis plus si fâché de la tromper.

SCÈNE XII

ARAMINTE, DORANTE

ARAMINTE

Vous avez donc vu ma mère ?

DORANTE

Oui, Madame, il n'y a qu'un moment.

ARAMINTE

Elle me l'a dit, et voudrait bien que j'en eusse pris un autre que vous.

DORANTE

Il me l'a paru.

ARAMINTE

Oui : mais ne vous embarrassez point, vous me convenez.

DORANTE

Je n'ai point d'autre ambition.

ARAMINTE

Parlons de ce que j'ai à vous dire ; mais que ceci soit secret entre nous, je vous prie.

DORANTE

Je me trahirais plutôt moi-même.

ARAMINTE

Je n'hésite point non plus à vous donner ma confiance. Voici ce que c'est. On veut me marier avec monsieur le comte Dorimont, pour éviter un grand procès que nous aurions ensemble au sujet d'une terre que je possède.

DORANTE

Je le sais, Madame ; et j'ai le malheur d'avoir déplu tout à l'heure, là-dessus, à madame Argante.

ARAMINTE

Eh ! d'où vient ?

DORANTE

C'est que si, dans votre procès, vous avez le bon droit de votre côté, on souhaite que je vous dise le contraire, afin de vous engager plus vite à ce mariage ; et j'ai prié qu'on m'en dispensât.

ARAMINTE

Que ma mère est frivole! Votre fidélité ne me
surprend point; j'y comptais. Faites toujours de
même et ne vous choquez point de ce que ma
mère vous a dit, je la désapprouve : a-t-elle tenu
quelque discours désagréable?

DORANTE

Il n'importe, Madame; mon zèle et mon attachement en augmentent. Voilà tout.

ARAMINTE

Et voilà pourquoi aussi je ne veux pas qu'on
vous chagrine, et que[1] j'y mettrai bon ordre.
Qu'est-ce que cela signifie? Je me fâcherai, si cela
continue. Comment donc? Vous ne seriez pas en
repos! On aura de mauvais procédés avec vous,
parce que vous en avez d'estimables; cela serait
plaisant!

DORANTE

Madame, par toute la reconnaissance que je
vous dois, n'y prenez point garde. Je suis confus
de vos bontés, et je suis trop heureux d'avoir été
querellé.

ARAMINTE

Je loue vos sentiments. Revenons à ce procès
dont il est question. Si je n'épouse point monsieur le Comte…

SCÈNE XIII

DORANTE, ARAMINTE, DUBOIS

DUBOIS

Madame la Marquise se porte mieux, Madame, *(il feint de voir Dorante avec surprise)* et vous est fort obligée… fort obligée de votre attention.

> *Dorante feint de détourner la tête, pour se cacher de Dubois.*

ARAMINTE

Voilà qui est bien.

DUBOIS, *regardant toujours Dorante.*

Madame, on m'a chargé aussi de vous dire un mot qui presse.

ARAMINTE

De quoi s'agit-il ?

DUBOIS

Il m'est recommandé de ne vous parler qu'en particulier.

ARAMINTE, *à Dorante.*

Je n'ai point achevé ce que je voulais vous dire ; laissez-moi, je vous prie, un moment, et revenez.

SCÈNE XIV

ARAMINTE, DUBOIS

ARAMINTE

Qu'est-ce que c'est donc que cet air étonné que tu as marqué, ce me semble, en voyant Dorante? D'où vient cette attention à le regarder?

DUBOIS

Ce n'est rien, sinon que je ne saurais plus avoir l'honneur de servir Madame, et qu'il faut que je lui demande mon congé.

ARAMINTE, *surprise.*

Quoi! Seulement pour avoir vu Dorante ici?

DUBOIS

Savez-vous à qui vous avez affaire?

ARAMINTE

Au neveu de monsieur Remy, mon procureur.

DUBOIS

Eh! par quel tour d'adresse est-il connu de Madame? Comment a-t-il fait pour arriver jusqu'ici?

ARAMINTE

C'est monsieur Remy qui me l'a envoyé pour intendant.

DUBOIS

Lui, votre intendant! Et c'est monsieur Remy qui vous l'envoie! Hélas! le bonhomme[1], il ne sait pas qui il vous donne; c'est un démon que ce garçon-là.

ARAMINTE

Mais, que signifient[2] tes exclamations? Explique-toi. Est-ce que tu le connais?

DUBOIS

Si je le connais, Madame! Si je le connais! Ah! vraiment oui; et il me connaît bien aussi. N'avez-vous pas vu comme il se détournait de peur que je ne le visse?

ARAMINTE

Il est vrai; et tu me surprends à mon tour. Serait-il capable de quelque mauvaise action, que tu saches? Est-ce que ce n'est pas un honnête homme?

DUBOIS

Lui! Il n'y a point de plus brave homme dans toute la terre; il a, peut-être, plus d'honneur, à lui tout seul, que cinquante honnêtes gens ensemble. Oh! c'est une probité merveilleuse; il n'a, peut-être, pas son pareil.

ARAMINTE

Eh! de quoi peut-il donc être question? D'où vient que tu m'alarmes? En vérité, j'en suis tout émue.

DUBOIS

Son défaut, c'est là. *(Il se touche le front.)* C'est à la tête que le mal le tient.

ARAMINTE

À la tête !

DUBOIS

Oui, il est timbré[1] ; mais timbré comme cent.

ARAMINTE

Dorante ! Il m'a paru de très bon sens. Quelle preuve as-tu de sa folie ?

DUBOIS

Quelle preuve ! Il y a six mois qu'il est tombé fou ; il y a six mois qu'il extravague d'amour, qu'il en a la cervelle brûlée, qu'il en est comme un perdu ; je dois bien le savoir, car j'étais à lui, je le servais ; et c'est ce qui m'a obligé de le quitter, et c'est ce qui me force de m'en aller encore ; ôtez cela, c'est un homme incomparable.

ARAMINTE, *un peu boudant.*

Oh ! bien, il fera ce qu'il voudra, mais je ne le garderai pas. On a bien affaire d'un esprit renversé ; et peut-être encore, je gage, pour quelque objet qui n'en vaut pas la peine, car les hommes ont des fantaisies[2]...

DUBOIS

Ah ! vous m'excuserez ; pour ce qui est de l'objet, il n'y a rien à dire. Malpeste ! sa folie est de bon goût.

ARAMINTE

N'importe, je veux le congédier. Est-ce que tu la connais, cette personne ?

DUBOIS

J'ai l'honneur de la voir tous les jours. C'est vous, Madame.

ARAMINTE

Moi, dis-tu !

DUBOIS

Il vous adore ; il y a six mois qu'il n'en vit point, qu'il donnerait sa vie pour avoir le plaisir de vous contempler un instant. Vous avez dû voir qu'il a l'air enchanté, quand il vous parle.

ARAMINTE

Il y a bien, en effet, quelque petite chose qui m'a paru extraordinaire. Eh ! juste ciel ! Le pauvre garçon, de quoi s'avise-t-il ?

DUBOIS

Vous ne croiriez pas jusqu'où va sa démence ; elle le ruine, elle lui coupe la gorge. Il est bien fait, d'une figure passable, bien élevé et de bonne famille ; mais il n'est pas riche ; et vous saurez qu'il n'a tenu qu'à lui d'épouser des femmes qui l'étaient, et de fort aimables, ma foi, qui offraient de lui faire sa fortune et qui auraient mérité qu'on la leur fît à elles-mêmes. Il y en a une qui n'en saurait revenir, et qui le poursuit encore tous les jours ; je le sais, car je l'ai rencontrée.

ARAMINTE, *avec négligence.*

Actuellement !

DUBOIS

Oui, Madame, actuellement, une grande brune
très piquante, et qu'il fuit. Il n'y a pas moyen ;
Monsieur refuse tout. Je les tromperais, me disait-
il ; je ne puis les aimer, mon cœur est parti ; ce
qu'il disait quelquefois la larme à l'œil ; car il sent
bien son tort.

ARAMINTE

Cela est fâcheux. Mais, où m'a-t-il vue, avant
que de venir chez moi, Dubois ?

DUBOIS

Hélas ! Madame, ce fut un jour que vous sor-
tîtes de l'Opéra, qu'il perdit la raison ; c'était un
vendredi, je m'en ressouviens ; oui, un vendredi[1],
il vous vit descendre l'escalier[2], à ce qu'il me
raconta, et vous suivit jusqu'à votre carrosse ; il
avait demandé votre nom, et je le trouvai qui était
comme extasié[3], il ne remuait plus.

ARAMINTE

Quelle aventure !

DUBOIS

J'eus beau lui crier : Monsieur ! Point de nouvelles, il n'y avait plus personne au logis[4]. À la fin,
pourtant, il revint à lui avec un air égaré. Je le
jetai dans une voiture, et nous retournâmes à la
maison. J'espérais que cela se passerait, car je

l'aimais. C'est le meilleur maître ! Point du tout, il n'y avait plus de ressource. Ce bon sens, cet esprit jovial, cette humeur charmante ; vous aviez tout expédié. Et dès le lendemain nous ne fîmes plus tous deux, lui, que rêver à vous, que vous aimer ; moi, d'épier depuis le matin jusqu'au soir où vous alliez.

ARAMINTE

Tu m'étonnes à un point !...

DUBOIS

Je me fis même ami d'un de vos gens qui n'y est plus ; un garçon fort exact, et qui m'instruisait, et à qui je payais bouteille. C'est à la Comédie qu'on va, me disait-il ; et je courais faire mon rapport, sur lequel, dès quatre heures[1], mon homme était à la porte. C'est chez Madame celle-ci ; c'est chez Madame celle-là ; et, sur cet avis, nous allions toute la soirée habiter la rue, ne vous déplaise, pour voir Madame entrer et sortir ; lui dans un fiacre, et moi derrière ; tous deux morfondus et gelés ; car c'était dans l'hiver ; lui, ne s'en souciant guère ; moi, jurant par-ci, par-là, pour me soulager.

ARAMINTE

Est-il possible ?

DUBOIS

Oui, Madame. À la fin, ce train de vie m'ennuya ; ma santé s'altérait, la sienne aussi. Je lui fis accroire que vous étiez à la campagne, il le crut, et j'eus quelque repos : mais n'alla-t-il pas deux jours après vous rencontrer aux Tuileries, où il avait été s'attrister de votre absence[1]. Au retour, il était furieux, il voulut me battre, tout bon qu'il est ; moi, je ne le voulus point, et je le quittai. Mon bonheur ensuite m'a mis chez Madame, où, à force de se démener, je le trouve parvenu à votre intendance, ce qu'il ne troquerait pas contre la place d'un empereur.

ARAMINTE

Y a-t-il rien de si particulier ? Je suis si lasse d'avoir des gens qui me trompent, que je me réjouissais de l'avoir, parce qu'il a de la probité ; ce n'est pas que je sois fâchée, car je suis bien au-dessus de cela.

DUBOIS

Il y aura de la bonté à le renvoyer. Plus il voit Madame, plus il s'achève.

ARAMINTE

Vraiment, je le renverrai bien ; mais ce n'est pas là ce qui le guérira. D'ailleurs, je ne sais que dire à monsieur Remy, qui me l'a recommandé ; et ceci m'embarrasse. Je ne vois pas trop comment m'en défaire, honnêtement.

DUBOIS

Oui ; mais vous ferez un incurable, Madame.

ARAMINTE, *vivement.*

Oh ! tant pis pour lui. Je suis dans des circonstances où je ne saurais me passer d'un intendant ;

et puis, il n'y a pas tant de risque que tu le crois : au contraire, s'il y avait quelque chose qui pût ramener cet homme, c'est l'habitude de me voir plus qu'il n'a fait, ce serait même un service à lui rendre.

DUBOIS

Oui, c'est un remède bien innocent. Premièrement, il ne vous dira mot ; jamais vous n'entendez parler de son amour.

ARAMINTE

En es-tu bien sûr ?

DUBOIS

Oh ! il ne faut pas en avoir peur, il mourrait plutôt. Il a un respect, une adoration, une humilité pour vous, qui n'est pas concevable. Est-ce que vous croyez qu'il songe à être aimé ? Nullement. Il dit que dans l'univers il n'y a personne qui le mérite ; il ne veut que vous voir, vous considérer, regarder vos yeux, vos grâces, votre belle taille ; et puis c'est tout : il me l'a dit mille fois.

ARAMINTE, *haussant les épaules.*

Voilà qui est bien digne de compassion ! Allons, je patienterai quelques jours, en attendant que j'en aie un autre ; au surplus, ne crains rien, je suis contente de toi ; je récompenserai ton zèle, et je ne veux pas que tu me quittes ; entends-tu, Dubois ?

DUBOIS

Madame, je vous suis dévoué pour la vie.

ARAMINTE

J'aurai soin de toi. Surtout qu'il ne sache pas que je suis instruite ; garde un profond secret ; et que tout le monde, jusqu'à Marton, ignore ce que tu m'as dit ; ce sont de ces choses qui ne doivent jamais percer.

DUBOIS

Je n'en ai jamais parlé qu'à Madame.

ARAMINTE

Le voici qui revient ; va-t'en.

SCÈNE XV

DORANTE, ARAMINTE

ARAMINTE, *un moment seule.*

La vérité est que voici une confidence dont je me serais bien passée moi-même.

DORANTE

Madame, je me rends à vos ordres.

ARAMINTE

Oui, Monsieur ; de quoi vous parlais-je ? Je l'ai oublié.

DORANTE

D'un procès avec monsieur le comte Dori-mont.

ARAMINTE

Je me remets. Je vous disais qu'on veut nous marier.

DORANTE

Oui, Madame ; et vous alliez, je crois, ajouter que vous n'étiez pas portée à ce mariage.

ARAMINTE

Il est vrai. J'avais envie de vous charger d'examiner l'affaire, afin de savoir si je ne risquerais rien à plaider ; mais je crois devoir vous dispenser de ce travail ; je ne suis pas sûre de pouvoir vous garder.

DORANTE

Ah ! Madame, vous avez eu la bonté de me rassurer là-dessus.

ARAMINTE

Oui ; mais je ne faisais pas réflexion que j'ai promis à monsieur le Comte de prendre un intendant de sa main ; vous voyez bien qu'il ne serait pas honnête de lui manquer de parole ; et du moins faut-il que je parle à celui qu'il m'amènera.

DORANTE

Je ne suis pas heureux ; rien ne me réussit, et j'aurai la douleur d'être renvoyé.

ARAMINTE, *par faiblesse.*

Je ne dis pas cela. Il n'y a rien de résolu là-dessus.

DORANTE

Ne me laissez point dans l'incertitude où je suis, Madame.

ARAMINTE

Eh! mais, oui; je tâcherai que vous restiez; je tâcherai.

DORANTE

Vous m'ordonnez donc de vous rendre compte de l'affaire en question?

ARAMINTE

Attendons. Si j'allais épouser le Comte, vous auriez pris une peine inutile.

DORANTE

Je croyais avoir entendu dire à Madame qu'elle n'avait point de penchant pour lui

ARAMINTE

Pas encore.

DORANTE

Et d'ailleurs, votre situation est si tranquille et si douce.

ARAMINTE, *à part.*

Je n'ai pas le courage de l'affliger!... Eh bien, oui-da; examinez toujours, examinez. J'ai des papiers dans mon cabinet, je vais les chercher; vous viendrez les prendre, et je vous les donnerai[1]. *(En s'en allant.)* Je n'oserais presque le regarder!

SCÈNE XVI

DORANTE, DUBOIS, *venant d'un air*
mystérieux et comme passant.

DUBOIS

Marton vous cherche pour vous montrer l'appartement qu'on vous destine : Arlequin est allé boire ; j'ai dit que j'allais vous avertir. Comment vous traite-t-on ?

DORANTE

Qu'elle est aimable ! Je suis enchanté ! De quelle façon a-t-elle reçu ce que tu lui as dit ?

DUBOIS, *comme en fuyant.*

Elle opine tout doucement à vous garder par compassion. Elle espère vous guérir par l'habitude de la voir.

DORANTE, *charmé.*

Sincèrement ?

DUBOIS

Elle n'en réchappera point ; c'est autant de pris. Je m'en retourne.

DORANTE

Reste, au contraire ; je crois que voici Marton. Dis-lui que Madame m'attend pour me remettre des papiers, et que j'irai la trouver dès que je les aurai.

DUBOIS

Partez ; aussi bien ai-je un petit avis à donner à
Marton. Il est bon de jeter dans tous les esprits les
soupçons dont nous avons besoin.

SCÈNE XVII

DUBOIS, MARTON

MARTON

Où est donc Dorante ? il me semble l'avoir vu
avec toi.

DUBOIS, *brusquement.*

Il dit que Madame l'attend pour des papiers ; il
reviendra ensuite. Au reste, qu'est-il nécessaire
qu'il voie cet appartement ? S'il n'en voulait pas,
il serait bien délicat : pardi, je lui conseillerais...

MARTON

Ce ne sont pas là tes affaires : je suis les ordres
de Madame.

DUBOIS

Madame est bonne et sage : mais, prenez garde,
ne trouvez-vous pas que ce petit galant-là fait les
yeux doux[1] ?

MARTON

Il les fait comme il les a.

DUBOIS

Je me trompe fort, si je n'ai pas vu la mine de ce freluquet, considérer, je ne sais où, celle de Madame.

MARTON

Hé bien, est-ce qu'on te fâche quand on la trouve belle ?

DUBOIS

Non ; mais je me figure quelquefois qu'il n'est venu ici que pour la voir de plus près.

MARTON, *riant.*

Ha ! ha ! quelle idée ! Va, tu n'y entends rien ; tu t'y connais mal.

DUBOIS, *riant.*

Ha ! ha ! Je suis donc bien sot.

MARTON, *riant en s'en allant.*

Ha ! ha ! l'original avec ses observations !

DUBOIS, *seul.*

Allez, allez, prenez toujours ; j'aurai soin de vous les faire trouver meilleures. Allons faire jouer toutes nos batteries.

ACTE II

SCÈNE PREMIÈRE

ARAMINTE, DORANTE

DORANTE

Non, Madame, vous ne risquez rien ; vous pouvez plaider en toute sûreté. J'ai même consulté plusieurs personnes, l'affaire est excellente ; et si vous n'avez que le motif dont vous parlez pour épouser monsieur le Comte, rien ne vous oblige à ce mariage.

ARAMINTE

Je l'affligerai beaucoup, et j'ai de la peine à m'y résoudre.

DORANTE

Il ne serait pas juste de vous sacrifier à la crainte de l'affliger.

ARAMINTE

Mais avez-vous bien examiné ? Vous me disiez tantôt que mon état était doux et tranquille ;

n'aimeriez-vous pas mieux que j'y restasse? N'êtes-vous pas un peu trop prévenu contre le mariage, et par conséquent contre monsieur le Comte?

DORANTE

Madame, j'aime mieux vos intérêts que les siens, et que ceux de qui que ce soit au monde.

ARAMINTE

Je ne saurais y trouver à redire; en tout cas, si je l'épouse, et qu'il veuille en mettre un autre ici, à votre place, vous n'y perdrez point; je vous promets de vous en trouver une meilleure.

DORANTE, *tristement.*

Non, Madame : si j'ai le malheur de perdre celle-ci, je ne serai plus à personne; et apparemment que je la perdrai; je m'y attends.

ARAMINTE

Je crois pourtant que je plaiderai; nous verrons.

DORANTE

J'avais encore une petite chose à vous dire, Madame. Je viens d'apprendre que le concierge d'une de vos terres est mort, on pourrait y mettre un de vos gens; et j'ai songé à Dubois, que je remplacerai ici par un domestique dont je réponds.

ARAMINTE

Non, envoyez plutôt votre homme au château, et laissez-moi Dubois; c'est un garçon de confiance, qui me sert bien, et que je veux garder. À propos, il m'a dit, ce me semble, qu'il avait été à vous quelque temps?

DORANTE, *feignant un peu d'embarras.*

Il est vrai, Madame : il est fidèle ; mais peu exact. Rarement, au reste, ces gens-là parlent-ils bien de ceux qu'ils ont servis. Ne me nuirait-il point dans votre esprit?

ARAMINTE, *négligemment.*

Celui-ci dit beaucoup de bien de vous, et voilà tout. Que me veut monsieur Remy?

SCÈNE II

ARAMINTE, DORANTE, MONSIEUR REMY

MONSIEUR REMY

Madame, je suis votre très humble serviteur. Je viens vous remercier de la bonté que vous avez eue de prendre mon neveu à ma recommandation.

ARAMINTE

Je n'ai pas hésité, comme vous l'avez vu.

MONSIEUR REMY

Je vous rends mille grâces. Ne m'aviez-vous pas dit qu'on vous en offrait un autre?

ARAMINTE

Oui, Monsieur.

MONSIEUR REMY

Tant mieux ; car je viens vous demander celui-ci pour une affaire d'importance.

DORANTE, *d'un air de refus.*

Et d'où vient, Monsieur ?

MONSIEUR REMY

Patience.

ARAMINTE

Mais, monsieur Remy, ceci est un peu vif ; vous prenez assez mal votre temps[1], et j'ai refusé l'autre personne.

DORANTE

Pour moi, je ne sortirai jamais de chez Madame qu'elle ne me congédie.

MONSIEUR REMY, *brusquement.*

Vous ne savez ce que vous dites. Il faut pourtant sortir ; vous allez voir. Tenez, Madame, jugez-en vous-même ; voici de quoi il est question. C'est une dame de trente-cinq ans, qu'on dit jolie femme, estimable, et de quelque distinction ; qui ne déclare pas son nom ; qui dit que j'ai été son procureur ; qui a quinze mille livres de rente[2], pour le moins, ce qu'elle prouvera ; qui a vu Monsieur chez moi ; qui lui a parlé ; qui sait qu'il n'a pas de bien, et qui offre de l'épouser sans délai : et la personne qui est venue chez moi de sa part doit revenir tantôt pour savoir la réponse, et vous mener tout de suite chez elle. Cela est-il net ?

Y a-t-il à consulter là-dessus ? Dans deux heures il faut être au logis. Ai-je tort, Madame ?

ARAMINTE, *froidement.*

C'est à lui à répondre.

MONSIEUR REMY

Eh bien! à quoi pense-t-il donc? Viendrez-vous ?

DORANTE

Non, Monsieur, je ne suis pas dans cette disposition-là.

MONSIEUR REMY

Hum! Quoi? entendez-vous ce que je vous dis, qu'elle a quinze mille livres de rente, entendez-vous ?

DORANTE

Oui, Monsieur ; mais en eût-elle vingt fois davantage, je ne l'épouserais pas ; nous ne serions heureux ni l'un ni l'autre : j'ai le cœur pris ; j'aime ailleurs.

MONSIEUR REMY, *d'un ton railleur,*
et traînant ses mots.

J'ai le cœur pris : voilà qui est fâcheux. Ah, ah, le cœur est admirable! Je n'aurais jamais deviné la beauté des scrupules de ce cœur-là, qui veut qu'on reste intendant de la maison d'autrui, pendant qu'on peut l'être de la sienne. Est-ce là votre dernier mot, berger fidèle[1] ?

DORANTE

Je ne saurais changer de sentiment, Monsieur.

MONSIEUR REMY

Oh! le sot cœur, mon neveu! Vous êtes un imbécile, un insensé; et je tiens celle que vous aimez pour une guenon, si elle n'est pas de mon sentiment; n'est-il pas vrai, Madame, et ne le trouvez-vous pas extravagant?

ARAMINTE, *doucement.*

Ne le querellez point. Il paraît avoir tort; j'en conviens.

MONSIEUR REMY, *vivement.*

Comment, Madame, il pourrait!...

ARAMINTE

Dans sa façon de penser je l'excuse. Voyez pourtant, Dorante, tâchez de vaincre votre penchant, si vous le pouvez; je sais bien que cela est difficile.

DORANTE

Il n'y a pas moyen, Madame, mon amour m'est plus cher que ma vie.

MONSIEUR REMY, *d'un air étonné.*

Ceux qui aiment les beaux sentiments doivent être contents; en voilà un des plus curieux qui se fassent. Vous trouvez donc cela raisonnable, Madame?

ARAMINTE

Je vous laisse ; parlez-lui vous-même. *(À part.)* Il me touche tant, qu'il faut que je m'en aille !

Elle sort.

DORANTE

Il ne croit pas si bien me servir.

SCÈNE III

DORANTE, MONSIEUR REMY, MARTON

MONSIEUR REMY, *regardant son neveu.*

Dorante, sais-tu bien qu'il n'y a pas de fol aux Petites-Maisons[1] de ta force ? *(Marton arrive.)* Venez, mademoiselle Marton.

MARTON

Je viens d'apprendre que vous étiez ici.

MONSIEUR REMY

Dites-nous un peu votre sentiment ; que pensez-vous de quelqu'un qui n'a point de bien, et qui refuse d'épouser une honnête et fort jolie femme, avec quinze mille livres de rente bien venant[2] ?

MARTON

Votre question est bien aisée à décider. Ce quelqu'un rêve.

MONSIEUR REMY, *montrant Dorante.*

Voilà le rêveur ; et, pour excuse, il allègue son cœur que vous avez pris : mais comme apparemment il n'a pas encore emporté le vôtre, et que je vous crois encore, à peu près, dans tout votre bon sens, vu le peu de temps qu'il y a que vous le connaissez, je vous prie de m'aider à le rendre plus sage. Assurément vous êtes fort jolie, mais vous ne le disputerez point à un pareil établissement : il n'y a point de beaux yeux qui vaillent ce prix-là.

MARTON

Quoi ! Monsieur Remy, c'est de Dorante que vous parlez ? C'est pour se garder à moi qu'il refuse d'être riche ?

MONSIEUR REMY

Tout juste, et vous êtes trop généreuse pour le souffrir.

MARTON, *avec un air de passion.*

Vous vous trompez, Monsieur, je l'aime trop moi-même pour l'en empêcher, et je suis enchantée. Ah ! Dorante, que je vous estime ! Je n'aurais pas cru que vous m'aimassiez tant !

MONSIEUR REMY

Courage ! je ne fais que vous le montrer, et vous en êtes déjà coiffée ! Pardi, le cœur d'une femme est bien étonnant ! le feu y prend bien vite.

MARTON, *comme chagrine.*

Eh! Monsieur, faut-il tant de bien pour être heureux? Madame, qui a de la bonté pour moi, suppléera en partie, par sa générosité, à ce qu'il me sacrifie. Que je vous ai d'obligation, Dorante!

DORANTE

Oh! non, Mademoiselle, aucune; vous n'avez point de gré à me savoir de ce que je fais; je me livre à mes sentiments, et ne regarde que moi là-dedans : vous ne me devez rien; je ne pense pas à votre reconnaissance.

MARTON

Vous me charmez : que de délicatesse! Il n'y a encore rien de si tendre que ce que vous me dites.

MONSIEUR REMY

Par ma foi, je me m'y connais donc guère; car je le trouve bien plat. *(À Marton.)* Adieu, la belle enfant, je ne vous aurais, ma foi, pas évaluée ce qu'il vous achète. Serviteur. Idiot, garde ta tendresse, et moi ma succession.

Il sort.

MARTON

Il est en colère; mais nous l'apaiserons.

DORANTE

Je l'espère. Quelqu'un vient.

MARTON

C'est le Comte, celui dont je vous ai parlé, et qui doit épouser Madame.

DORANTE

Je vous laisse donc ; il pourrait me parler de son procès : vous savez ce que je vous ai dit là-dessus, et il est inutile que je le voie.

SCÈNE IV

LE COMTE, MARTON

LE COMTE

Bonjour, Marton.

MARTON

Vous voilà donc revenu, Monsieur ?

LE COMTE

Oui. On m'a dit qu'Araminte se promenait dans le jardin, et je viens d'apprendre de sa mère une chose qui me chagrine. Je lui avais retenu un intendant, qui devait aujourd'hui entrer chez elle, et cependant elle en a pris un autre qui ne plaît point à la mère, et dont nous n'avons rien à espérer.

MARTON

Nous n'en devons rien craindre non plus, Monsieur. Allez, ne vous inquiétez point, c'est un galant homme ; et si la mère n'en est pas contente, c'est un peu de sa faute : elle a débuté tantôt par le brusquer d'une manière si outrée, l'a traité si mal, qu'il n'est pas étonnant qu'elle ne l'ait point gagné. Imaginez-vous qu'elle l'a querellé de ce qu'il est bien fait.

LE COMTE

Ne serait-ce point lui que je viens de voir sortir d'avec vous ?

MARTON

Lui-même.

LE COMTE

Il a bonne mine, en effet, et n'a pas trop l'air de ce qu'il est.

MARTON

Pardonnez-moi, Monsieur ; car il est honnête homme.

LE COMTE

N'y aurait-il pas moyen de raccommoder cela ? Araminte ne me hait pas, je pense ; mais elle est lente à se déterminer ; et pour achever de la résoudre, il ne s'agirait plus que de lui dire que le sujet de notre discussion est douteux pour elle. Elle ne voudra pas soutenir l'embarras d'un procès. Parlons à cet intendant ; s'il ne faut que de l'argent pour le mettre dans nos intérêts, je ne l'épargnerai pas.

MARTON

Oh, non ; ce n'est point un homme à mener par là ; c'est le garçon de France le plus désinté- ressé.

LE COMTE

Tant pis ! ces gens-là ne sont bons à rien.

MARTON

Laissez-moi faire.

SCÈNE V

LE COMTE, ARLEQUIN, MARTON

ARLEQUIN

Mademoiselle, voilà un homme qui en demande un autre ; savez-vous qui c'est ?

MARTON, *brusquement.*

Et qui est cet autre ? À quel homme en veut-il ?

ARLEQUIN

Ma foi, je n'en sais rien ; c'est de quoi je m'in- forme à vous.

MARTON

Fais-le entrer.

ARLEQUIN, *le faisant sortir des coulisses.*

Hé ! le garçon ! Venez ici dire votre affaire.

SCÈNE VI

LE COMTE, LE GARÇON, MARTON,
ARLEQUIN

MARTON

Qui cherchez-vous?

LE GARÇON

Mademoiselle, je cherche un certain Monsieur
à qui j'ai à rendre un portrait, avec une boîte,
qu'il nous a fait faire : il nous a dit qu'on ne
la remît qu'à lui-même, et qu'il viendrait la
prendre ; mais comme mon père est obligé de
partir demain pour un petit voyage, il m'a envoyé
pour la lui rendre, et on m'a dit que je saurais de
ses nouvelles ici. Je le connais de vue ; mais je ne
sais pas son nom.

MARTON

N'est-ce pas vous, monsieur le Comte?

LE COMTE

Non, sûrement.

LE GARÇON

Je n'ai point affaire à Monsieur, Mademoiselle,
c'est une autre personne.

MARTON

Et chez qui vous a-t-on dit que vous le trou-
veriez?

LE GARÇON

Chez un procureur qui s'appelle monsieur Remy.

LE COMTE

Ah! n'est-ce pas le procureur de Madame? Montrez-nous la boîte.

LE GARÇON

Monsieur, cela m'est défendu; je n'ai ordre de la donner qu'à celui à qui elle est : le portrait de la dame est dedans.

LE COMTE

Le portrait d'une dame! Qu'est-ce que cela signifie? Serait-ce celui d'Araminte? Je vais tout à l'heure savoir ce qu'il en est.

SCÈNE VII

MARTON, LE GARÇON

MARTON

Vous avez mal fait de parler de ce portrait devant lui. Je sais qui vous cherchez; c'est le neveu de monsieur Remy, de chez qui vous venez.

LE GARÇON

Je le crois aussi, Mademoiselle.

MARTON

Un grand homme, qui s'appelle monsieur Dorante.

LE GARÇON

Il me semble que c'est son nom.

MARTON

Il me l'a dit : je suis dans sa confidence. Avez-vous remarqué le portrait ?

LE GARÇON

Non ; je n'ai pas pris garde à qui il ressemble.

MARTON

Hé bien, c'est de moi dont il s'agit. Monsieur Dorante n'est pas ici, et ne reviendra pas sitôt. Vous n'avez qu'à me remettre la boîte ; vous le pouvez en toute sûreté ; vous lui feriez même plaisir. Vous voyez que je suis au fait.

LE GARÇON

C'est ce qui me paraît. La voilà, Mademoiselle. Ayez donc, je vous prie, le soin de la lui rendre quand il sera venu.

MARTON

Oh, je n'y manquerai pas.

LE GARÇON

Il y a encore une bagatelle qu'il doit dessus, mais je tâcherai de repasser tantôt ; et si il[1] n'y était pas, vous auriez la bonté d'achever de payer.

MARTON

Sans difficulté. Allez. *(À part.)* Voici Dorante. *(Au Garçon.)* Retirez-vous vite.

SCÈNE VIII

MARTON, DORANTE

MARTON, *un moment seule et joyeuse.*

Ce ne peut être que mon portrait. Le charmant homme ! monsieur Remy avait raison de dire qu'il y avait quelque temps qu'il me connaissait.

DORANTE

Mademoiselle, n'avez-vous pas vu ici quelqu'un qui vient d'arriver ? Arlequin croit que c'est moi qu'il demande.

MARTON, *le regardant avec tendresse.*

Que vous êtes aimable, Dorante ! je serais bien injuste de ne pas vous aimer. Allez, soyez en repos ; l'ouvrier est venu, je lui ai parlé ; j'ai la boîte ; je la tiens.

DORANTE

J'ignore…

MARTON

Point de mystère ; je la tiens, vous dis-je, et je ne m'en fâche pas. Je vous la rendrai quand je l'aurai vue. Retirez-vous, voici Madame avec sa mère et le Comte ; c'est, peut-être, de cela qu'ils s'entre-tiennent. Laissez-moi les calmer là-dessus, et ne les attendez pas.

DORANTE, *en s'en allant, et riant.*

Tout à réussi ! elle prend le change à merveille !

SCÈNE IX

ARAMINTE, LE COMTE, MADAME ARGANTE,
MARTON

ARAMINTE

Marton, qu'est-ce que c'est qu'un portrait dont monsieur le Comte me parle, qu'on vient d'apporter ici à quelqu'un qu'on ne nomme pas, et qu'on soupçonne être le mien? Instruisez-moi de cette histoire-là.

MARTON, *d'un air rêveur.*

Ce n'est rien, Madame; je vous dirai ce que c'est: je l'ai démêlé après que monsieur le Comte est parti; il n'a que faire de s'alarmer. Il n'y a rien là qui vous intéresse.

LE COMTE

Comment le savez-vous, Mademoiselle? Vous n'avez point vu le portrait?

MARTON

N'importe, c'est tout comme si je l'avais vu. Je sais qui il regarde; n'en soyez point en peine.

LE COMTE

Ce qu'il y a de certain, c'est un portrait de femme, et c'est ici qu'on vient chercher la personne qui l'a fait faire, à qui on doit le rendre, et ce n'est pas moi.

MARTON

D'accord. Mais quand je vous dis que Madame n'y est pour rien, ni vous non plus.

ARAMINTE

Eh bien, si vous êtes instruite, dites-nous donc de quoi il est question ; car je veux le savoir ! On a des idées qui ne me plaisent point. Parlez

MADAME ARGANTE

Oui ; ceci a un air de mystère qui est désagréable. Il ne faut pourtant pas vous fâcher, ma fille : monsieur le Comte vous aime, et un peu de jalousie, même injuste, ne messied pas à un amant[1].

LE COMTE

Je ne suis jaloux que de l'inconnu qui ose se donner le plaisir d'avoir le portrait de Madame.

ARAMINTE, *vivement.*

Comme il vous plaira, Monsieur, mais j'ai entendu ce que vous vouliez dire, et je crains un peu ce caractère d'esprit-là. Eh bien, Marton ?

MARTON

Eh bien, Madame, voilà bien du bruit ! C'est mon portrait.

LE COMTE

Votre portrait ?

MARTON

Oui, le mien. Eh pourquoi non, s'il vous plaît ?
il ne faut pas tant se récrier.

MADAME ARGANTE

Je suis assez comme monsieur le Comte ; la chose
me paraît singulière.

MARTON

Ma foi, Madame, sans vanité, on en peint tous les
jours, et de plus huppées[1], qui ne me valent pas.

ARAMINTE

Et qui est-ce qui a fait cette dépense-là pour
vous ?

MARTON

Un très aimable homme qui m'aime, qui a de
la délicatesse et des sentiments[2], et qui me
recherche ; et, puisqu'il faut vous le nommer,
c'est Dorante.

ARAMINTE

Mon intendant ?

MARTON

Lui-même.

MADAME ARGANTE

Le fat, avec ses sentiments !

ARAMINTE, *brusquement.*

Eh ! vous nous trompez : depuis qu'il est ici,
a-t-il eu le temps de vous faire peindre ?

MARTON

Mais ce n'est pas d'aujourd'hui qu'il me connaît.

ARAMINTE, *vivement.*

Donnez donc.

MARTON

Je n'ai pas encore ouvert la boîte, mais c'est moi que vous y allez voir.

Araminte l'ouvre, tous regardent.

LE COMTE

Eh! je m'en doutais bien, c'est Madame.

MARTON

Madame!... il est vrai, et me voilà bien loin de mon compte! *(À part.)* Dubois avait raison tantôt.

ARAMINTE, *à part.*

Et moi je vois clair. *(À Marton.)* Par quel hasard avez-vous cru que c'était vous?

MARTON

Ma foi, Madame, toute autre que moi s'y serait trompée. Monsieur Remy me dit que son neveu m'aime, qu'il veut nous marier ensemble; Dorante est présent, et ne dit point non; il refuse devant moi un très riche parti; l'oncle s'en prend à moi, me dit que j'en suis cause. Ensuite vient un homme qui apporte ce portrait, qui vient chercher ici celui à qui il appartient; je l'interroge: à tout ce qu'il répond, je reconnais Dorante. C'est

un portrait de femme, Dorante m'aime jusqu'à
refuser sa fortune pour moi, je conclus donc que
c'est moi qu'il a fait peindre. Ai-je eu tort? J'ai
pourtant mal conclu. J'y renonce; tant d'honneur
ne m'appartient point. Je crois voir toute l'étendue de ma méprise, et je me tais.

ARAMINTE

Ah! ce n'est pas là une chose bien difficile à
deviner. Vous faites le fâché, l'étonné, monsieur
le Comte, il y a eu quelque malentendu dans les
mesures que vous avez prises; mais vous ne m'abu-
sez point; c'est à vous qu'on apportait le portrait.
Un homme dont on ne sait pas le nom, qu'on
vient chercher ici, c'est vous, Monsieur, c'est vous.

MARTON, *d'un air sérieux.*

Je ne crois pas.

MADAME ARGANTE

Oui, oui, c'est Monsieur : à quoi bon vous en
défendre? Dans les termes où vous en êtes avec
ma fille, ce n'est pas là un si grand crime; allons,
convenez-en.

LE COMTE, *froidement.*

Non, Madame, ce n'est point moi, sur mon
honneur, je ne connais pas ce monsieur Remy;
comment aurait-on dit chez lui qu'on aurait de
mes nouvelles ici? Cela ne se peut pas.

MADAME ARGANTE, *d'un air pensif.*

Je ne faisais pas d'attention à cette circonstance.

ARAMINTE

Bon! qu'est-ce qu'une circonstance de plus ou de moins? je n'en rabats rien. Quoi qu'il en soit je le garde, personne ne l'aura. Mais quel bruit entendons-nous? Voyez ce que c'est, Marton.

SCÈNE X

ARAMINTE, LE COMTE, MADAME ARGANTE, MARTON, DUBOIS, ARLEQUIN

ARLEQUIN, *en entrant.*

Tu es un plaisant magot!

MARTON

À qui en avez-vous donc, vous autres?

DUBOIS

Si je disais un mot, ton maître sortirait bien vite.

ARLEQUIN

Toi? nous nous soucions de toi et de toute ta race de canaille, comme de cela.

DUBOIS

Comme je te bâtonnerais, sans le respect de Madame!

ARLEQUIN

Arrive, arrive : la voilà, Madame.

ARAMINTE

Quel sujet avez-vous donc de quereller? De quoi s'agit-il?

MADAME ARGANTE

Approchez, Dubois. Apprenez-nous ce que c'est que ce mot que vous diriez contre Dorante; il serait bon de savoir ce que c'est.

ARLEQUIN

Prononce donc ce mot.

ARAMINTE

Tais-toi; laisse-le parler.

DUBOIS

Il y a une heure qu'il me dit mille invectives, Madame.

ARLEQUIN

Je soutiens les intérêts de mon maître, je tire des gages pour cela, et je ne souffrirai point qu'un ostrogoth menace mon maître d'un mot; j'en demande justice à Madame.

MADAME ARGANTE

Mais, encore une fois, sachons ce que veut dire Dubois, par ce mot : c'est le plus pressé.

ARLEQUIN

Je le défie d'en dire seulement une lettre.

DUBOIS

C'est par pure colère que j'ai fait cette menace, Madame, et voici la cause de la dispute. En arrangeant l'appartement de monsieur Dorante, j'ai vu par hasard un tableau où Madame est peinte, et j'ai cru qu'il fallait l'ôter, qu'il n'avait que faire là, qu'il n'était point décent qu'il y restât; de sorte que j'ai été pour le détacher, ce butor est venu pour m'en empêcher, et peu s'en est fallu que nous ne nous soyons battus.

ARLEQUIN

Sans doute, de quoi t'avises-tu d'ôter ce tableau qui est tout à fait gracieux, que mon maître considérait, il n'y avait qu'un moment, avec toute la satisfaction possible? Car je l'avais vu qui l'avait contemplé, de tout son cœur, et il prend fantaisie à ce brutal de le priver d'une peinture qui réjouit cet honnête homme. Voyez la malice! Ôte-lui quelque autre meuble, s'il y en a trop, mais laisse-lui cette pièce, animal.

DUBOIS

Eh moi je te dis qu'on ne la laissera point; que je la détacherai moi-même, que tu en auras le démenti, et que Madame le voudra ainsi.

ARAMINTE

Eh! que m'importe? Il était bien nécessaire de faire ce bruit-là pour un vieux tableau qu'on a mis là par hasard, et qui y est resté. Laissez-nous. Cela vaut-il la peine qu'on en parle?

MADAME ARGANTE, *d'un ton aigre.*

Vous m'excuserez, ma fille ; ce n'est point là sa place, et il n'y a qu'à l'ôter ; votre intendant se passera bien de ses contemplations.

ARAMINTE, *souriant d'un air railleur.*

Oh, vous avez raison : je ne pense pas qu'il les regrette. *(À Arlequin et à Dubois.)* Retirez-vous tous deux.

SCÈNE XI

ARAMINTE, LE COMTE, MADAME ARGANTE,
MARTON

LE COMTE, *d'un ton railleur.*

Ce qui est de sûr, c'est que cet homme d'affaires-là est de bon goût.

ARAMINTE, *ironiquement.*

Oui, la réflexion est juste. Effectivement, il est fort extraordinaire qu'il ait jeté les yeux sur ce tableau.

MADAME ARGANTE

Cet homme-là ne m'a jamais plu un instant, ma fille, vous le savez, j'ai le coup d'œil assez bon, et je ne l'aime point. Croyez-moi, vous avez entendu la menace que Dubois a faite en parlant de lui, j'y reviens encore, il faut qu'il ait quelque chose à en dire. Interrogez-le ; sachons ce que c'est, je suis persuadée que ce petit monsieur-là ne vous convient point : nous le voyons tous, il n'y a que vous qui n'y prenez pas garde.

MARTON, *négligemment.*

Pour moi je n'en suis pas contente.

ARAMINTE, *riant négligemment.*

Qu'est-ce donc que vous voyez, et que je ne vois point ? Je manque de pénétration : j'avoue que je m'y perds ! Je ne vois pas le sujet de me défaire d'un homme qui m'est donné de bonne main, qui est un homme de quelque chose[1], qui me sert bien, et que trop bien, peut-être ; voilà ce qui n'échappe pas à ma pénétration, par exemple.

MADAME ARGANTE

Que vous êtes aveugle !

ARAMINTE, *d'un air souriant.*

Pas tant ; chacun a ses lumières. Je consens, au reste, d'écouter Dubois, le conseil est bon, et je l'approuve. Allez, Marton, allez lui dire que je veux lui parler. S'il me donne des motifs raisonnables de renvoyer cet intendant, assez hardi pour regarder un tableau, il ne restera pas longtemps chez moi ; sans quoi, on aura la bonté de trouver bon que je le garde, en attendant qu'il me déplaise, à moi.

MADAME ARGANTE, *vivement.*

Hé bien, il vous déplaira, je ne vous en dis pas davantage, en attendant de plus fortes preuves.

LE COMTE

Quant à moi, Madame, j'avoue que j'ai craint qu'il ne me servît mal auprès de vous, qu'il ne vous inspirât l'envie de plaider, et j'ai souhaité, par pure tendresse, qu'il vous en détournât. Il aura pourtant beau faire, je déclare que je renonce à tout procès avec vous, que je ne veux, pour arbitre de notre discussion, que vous et vos gens d'affaires, et que j'aime mieux perdre tout que de rien disputer.

MADAME ARGANTE, *d'un ton décisif.*

Mais où serait la dispute? Le mariage terminerait tout, et le vôtre est comme arrêté.

LE COMTE

Je garde le silence sur Dorante : je reviendrai, simplement, voir ce que vous pensez de lui ; et si vous le congédiez, comme je le présume, il ne tiendra qu'à vous de prendre celui que je vous offrais, et que je retiendrai encore quelque temps.

MADAME ARGANTE

Je ferai comme Monsieur, je ne vous parlerai plus de rien non plus ; vous m'accuseriez de vision ; et votre entêtement finira sans notre secours. Je compte beaucoup sur Dubois que voici, et avec lequel nous vous laissons.

SCÈNE XII

DUBOIS, ARAMINTE

DUBOIS

On m'a dit que vous vouliez me parler, Madame ?

ARAMINTE

Viens ici. Tu es bien imprudent, Dubois, bien indiscret ! Moi qui ai si bonne opinion de toi, tu n'as guère d'attention pour ce que je te dis. Je t'avais recommandé de te taire sur le chapitre de Dorante ; tu en sais les conséquences ridicules, et tu me l'avais promis. Pourquoi donc avoir prise, sur ce misérable tableau, avec un sot qui fait un vacarme épouvantable, et qui vient ici tenir des discours tous[1] propres à donner des idées que je serais au désespoir qu'on eût ?

DUBOIS

Ma foi, Madame, j'ai cru la chose sans conséquence, et je n'ai agi, d'ailleurs, que par un mouvement de respect et de zèle.

ARAMINTE, *d'un air vif.*

Eh ! laisse là ton zèle, ce n'est pas là celui que je veux, ni celui qu'il me faut ; c'est de ton silence dont j'ai besoin pour me tirer de l'embarras où je suis, et où tu m'as jetée toi-même ; car, sans toi, je ne saurais pas que cet homme-là m'aime, et je n'aurais que faire d'y regarder de si près.

DUBOIS

J'ai bien senti que j'avais tort.

ARAMINTE

Passe encore pour la dispute ; mais pourquoi s'écrier : Si je disais un mot ! Y a-t-il rien de plus mal à toi ?

DUBOIS

C'est encore une suite de ce zèle mal entendu.

ARAMINTE

Hé bien, tais-toi donc, tais-toi. Je voudrais pouvoir te faire oublier ce que tu m'as dit.

DUBOIS

Oh, je suis bien corrigé.

ARAMINTE

C'est ton étourderie qui me force actuellement de te parler, sous prétexte de t'interroger sur ce que tu sais de lui. Ma mère et monsieur le Comte s'attendent que tu vas m'en apprendre des choses étonnantes. Quel rapport leur ferai-je à présent ?

DUBOIS

Ah ! il n'y a rien de plus facile à raccommoder : ce rapport sera que des gens, qui le connaissent, m'ont dit que c'était un homme incapable de l'emploi qu'il a chez vous ; quoiqu'il soit fort habile, au moins, ce n'est pas cela qui lui manque.

ARAMINTE

À la bonne heure. Mais il y aura un inconvé-
nient, s'il en est capable ; on me dira de le renvoyer, et il n'est pas encore temps : j'y ai pensé
depuis ; la prudence ne le veut pas, et je suis obligée de prendre des biais, et d'aller tout doucement avec cette passion si excessive que tu dis
qu'il a, et qui éclaterait, peut-être, dans sa douleur. Me fierais-je à un désespéré ? Ce n'est plus le
besoin que j'ai de lui qui me retient, c'est moi que
je ménage *(elle radoucit le ton)*. À moins que ce qu'a
dit Marton ne soit vrai, auquel cas je n'aurais plus
rien à craindre. Elle prétend qu'il l'avait déjà vue
chez monsieur Remy, et que le procureur a dit,
même devant lui, qu'il l'aimait depuis longtemps,
et qu'il fallait qu'ils se mariassent ; je le voudrais.

DUBOIS

Bagatelle ! Dorante n'a vu Marton ni de près ni
de loin ; c'est le procureur qui a débité cette
fable-là à Marton, dans le dessein de les marier
ensemble : Et moi je n'ai pas osé l'en dédire, m'a
dit Dorante, parce que j'aurais indisposé contre
moi cette fille, qui a du crédit auprès de sa maîtresse, et qui a cru ensuite que c'était pour elle
que je refusais les quinze mille livres de rente
qu'on m'offrait.

ARAMINTE, *négligemment.*

Il t'a donc tout conté ?

DUBOIS

Oui, il n'y a qu'un moment dans le jardin[1] où il
a voulu presque se jeter à mes genoux pour me

conjurer de lui garder le secret sur sa passion, et d'oublier l'emportement qu'il eut avec moi quand je le quittai. Je lui ai dit que je me tairais; mais que je ne prétendais pas rester dans la maison avec lui, et qu'il fallait qu'il sortît; ce qui l'a jeté dans des gémissements, dans des pleurs, dans le plus triste état du monde.

ARAMINTE

Eh! tant pis. Ne le tourmente point. Tu vois bien que j'ai raison de dire qu'il faut aller doucement avec cet esprit-là; tu le vois bien. J'augurais beaucoup de ce mariage avec Marton; je croyais qu'il m'oublierait, et point du tout; il n'est question de rien.

DUBOIS, *comme s'en allant.*

Pure fable! Madame a-t-elle encore quelque chose à me dire?

ARAMINTE

Attends. Comment faire? Si lorsqu'il me parle, il me mettait en droit de me plaindre de lui, mais il ne lui échappe rien; je ne sais de son amour que ce que tu m'en dis; et je ne suis pas assez fondée pour le renvoyer. Il est vrai qu'il me fâcherait s'il parlait; mais il serait à propos qu'il me fâchât.

DUBOIS

Vraiment oui. Monsieur Dorante n'est point digne de Madame. S'il était dans une plus grande fortune, comme il n'y a rien à dire à ce qu'il est né, ce serait une autre affaire : mais il n'est riche qu'en mérite, et ce n'est pas assez.

ARAMINTE, *d'un ton comme triste.*

Vraiment non ; voilà les usages. Je ne sais pas comment je le traiterai ; je n'en sais rien ; je verrai.

DUBOIS

Eh bien ; Madame a un si beau prétexte… Ce portrait que Marton a cru être le sien à ce qu'elle m'a dit.

ARAMINTE

Eh ! non, je ne saurais l'en accuser ; c'est le Comte qui l'a fait faire.

DUBOIS

Point du tout, c'est de Dorante, je le sais de lui-même ; et il y travaillait encore il n'y a que deux mois ; lorsque je le quittai.

ARAMINTE

Va-t'en. Il y a longtemps que je te parle. Si on me demande ce que tu m'as appris de lui, je dirai ce dont nous sommes convenus. Le voici, j'ai envie de lui tendre un piège.

DUBOIS

Oui, Madame, il se déclarera, peut-être, et tout de suite je lui dirais : Sortez[1].

ARAMINTE

Laisse-nous.

SCÈNE XIII

DORANTE, ARAMINTE, DUBOIS

DUBOIS, *sortant, et en passant*
auprès de Dorante et rapidement.

Il m'est impossible de l'instruire ; mais qu'il se découvre, ou non, les choses ne peuvent aller que bien.

DORANTE

Je viens, Madame, vous demander votre protection. Je suis dans le chagrin et dans l'inquiétude. J'ai tout quitté pour avoir l'honneur d'être à vous, je vous suis plus attaché que je ne puis le dire ; on ne saurait vous servir avec plus de fidélité ni de désintéressement[1] ; et cependant je ne suis pas sûr de rester. Tout le monde ici m'en veut, me persécute, et conspire pour me faire sortir. J'en suis consterné, je tremble que vous ne cédiez à leur inimitié pour moi, et j'en serais dans la dernière affliction.

ARAMINTE, *d'un ton doux.*

Tranquillisez-vous ; vous ne dépendez point de ceux qui vous en veulent ; ils ne vous ont encore fait aucun tort dans mon esprit, et tous leurs petits complots n'aboutiront à rien ; je suis la maîtresse.

DORANTE, *d'un air bien inquiet.*

Je n'ai que votre appui, Madame.

ARAMINTE

Il ne vous manquera pas. Mais je vous conseille une chose : ne leur paraissez pas si alarmé ; vous leur feriez douter de votre capacité, et il leur semblerait que vous m'auriez beaucoup d'obligation de ce que je vous garde.

DORANTE

Ils ne se tromperaient pas, Madame ; c'est une bonté qui me pénètre de reconnaissance.

ARAMINTE

À la bonne heure, mais il n'est pas nécessaire qu'ils le croient. Je vous sais bon gré de votre attachement, et de votre fidélité ; mais dissimulez-en une partie, c'est peut-être ce qui les indispose contre vous. Vous leur avez refusé de m'en faire accroire sur le chapitre du procès, conformez-vous à ce qu'ils exigent, regagnez-les par là ; je vous le permets. L'événement[1] leur persuadera que vous les avez bien servis ; car, toute réflexion faite, je suis déterminée à épouser le Comte.

DORANTE, *d'un ton ému.*

Déterminée, Madame !

ARAMINTE

Oui, tout à fait résolue. Le Comte croira que vous y avez contribué ; je le lui dirai même, et je vous garantis que vous resterez ici : je vous le promets. *(À part.)* Il change de couleur.

DORANTE

Quelle différence pour moi, Madame !

ARAMINTE, *d'un air délibéré.*

Il n'y en aura aucune, ne vous embarrassez pas, et écrivez le billet que je vais vous dicter ; il y a tout ce qu'il faut sur cette table.

DORANTE

Eh ! pour qui, Madame ?

ARAMINTE

Pour le Comte qui est sorti d'ici extrêmement inquiet, et que je vais surprendre bien agréablement, par le petit mot que vous allez lui écrire en mon nom. *(Dorante reste rêveur, et par distraction ne va point à la table.)* Hé bien ? vous n'allez pas à la table : à quoi rêvez-vous ?

DORANTE, *toujours distrait.*

Oui, Madame.

ARAMINTE, *à part, pendant qu'il se place.*

Il ne sait ce qu'il fait. Voyons si cela continuera.

DORANTE, *cherche du papier.*

Ah ! Dubois m'a trompé !

ARAMINTE, *poursuit.*

Êtes-vous prêt à écrire ?

DORANTE

Madame, je ne trouve point de papier.

ARAMINTE, *allant elle-même.*

Vous n'en trouvez point ! En voilà devant vous.

DORANTE

Il est vrai.

ARAMINTE

Écrivez. *Hâtez-vous de venir, Monsieur, votre mariage est sûr...* Avez-vous écrit ?

DORANTE

Comment, Madame ?

ARAMINTE

Vous ne m'écoutez donc pas ? *Votre mariage est sûr ; Madame veut que je vous l'écrive, et vous attend pour vous le dire. (À part.)* Il souffre, mais il ne dit mot. Est-ce qu'il ne parlera pas ? *N'attribuez point cette résolution à la crainte que Madame pourrait avoir des suites d'un procès douteux.*

DORANTE

Je vous ai assuré que vous le gagneriez, Madame. Douteux ! il ne l'est point.

ARAMINTE

N'importe, achevez. *Non Monsieur, je suis chargé de sa part de vous assurer que la seule justice qu'elle rend à votre mérite la détermine.*

DORANTE

Ciel ! je suis perdu. Mais, Madame, vous n'aviez aucune inclination pour lui.

ARAMINTE

Achevez, vous dis-je. *Qu'elle rend à votre mérite la détermine...* Je crois que la main vous tremble ! vous paraissez changé. Qu'est-ce que cela signifie ? Vous trouverez-vous mal ?

DORANTE

Je ne me trouve pas bien, Madame.

ARAMINTE

Quoi ! Si subitement ! Cela est singulier. Pliez la lettre, et mettez : *À monsieur le comte Dorimont.* Vous direz à Dubois qu'il la lui porte. *(À part.)* Le cœur me bat ! *(À Dorante.)* Voilà qui est écrit tout de travers ! cette adresse-là n'est presque pas lisible. *(À part.)* Il n'y a pas encore là de quoi le convaincre.

DORANTE, *à part.*

Ne serait-ce point aussi pour m'éprouver ? Dubois ne m'a averti de rien.

SCÈNE XIV

ARAMINTE, DORANTE, MARTON

MARTON

Je suis bien aise, Madame, de trouver Monsieur ici ; il vous confirmera tout de suite ce que j'ai à vous dire. Vous avez offert, en différentes occasions, de me marier, Madame ; et jusqu'ici je ne me suis point trouvée disposée à profiter de vos bontés. Aujourd'hui Monsieur me recherche ; il vient même de refuser un parti infiniment plus riche, et le tout pour moi ; du moins, me l'a-t-il laissé croire ; et il est à propos qu'il s'explique : mais, comme je ne veux dépendre que de vous[1], c'est de vous aussi, Madame, qu'il faut qu'il m'obtienne ; ainsi, Monsieur, vous n'avez qu'à parler à Madame. Si elle m'accorde à vous, vous n'aurez point de peine à m'obtenir de moi-même[2].

SCÈNE XV

DORANTE, ARAMINTE

ARAMINTE, *à part, émue.*

Cette folle ! *(Haut.)* Je suis charmée de ce qu'elle vient de m'apprendre. Vous avez fait là un très bon choix ; c'est une fille aimable et d'un excellent caractère.

DORANTE, *d'un air abattu.*

Hélas ! Madame, je ne songe point à elle.

ARAMINTE

Vous ne songez point à elle ! Elle dit que vous l'aimez, que vous l'aviez vue avant que de venir ici.

DORANTE, *tristement.*

C'est une erreur où monsieur Remy l'a jetée sans me consulter ; et je n'ai point osé dire le contraire, dans la crainte de m'en faire une ennemie auprès de vous. Il en est de même de ce riche parti, qu'elle croit que je refuse à cause d'elle; et je n'ai nulle part à tout cela[1]. Je suis hors d'état de donner mon cœur à personne; je l'ai perdu pour jamais; et la plus brillante de toutes les fortunes ne me tenterait pas.

ARAMINTE

Vous avez tort. Il fallait désabuser Marton.

DORANTE

Elle vous aurait, peut-être, empêchée de me recevoir; et mon indifférence lui en dit assez.

ARAMINTE

Mais, dans la situation où vous êtes, quel intérêt aviez-vous d'entrer dans ma maison, et de la préférer à une autre?

DORANTE

Je trouve plus de douceur à être chez vous[2], Madame.

ARAMINTE

Il y a quelque chose d'incompréhensible en tout ceci! Voyez-vous souvent la personne que vous aimez?

DORANTE, *toujours abattu.*

Pas souvent à mon gré, Madame; et je la verrais à tout instant, que je ne croirais pas la voir assez.

ARAMINTE, *à part.*

Il a des expressions d'une tendresse! *(Haut.)*
Est-elle fille? A-t-elle été mariée?

DORANTE

Madame, elle est veuve.

ARAMINTE

Et ne devez-vous pas l'épouser? Elle vous aime,
sans doute?

DORANTE

Hélas! Madame, elle ne sait pas seulement que
je l'adore. Excusez l'emportement du terme dont
je me sers. Je ne saurais presque parler d'elle
qu'avec transport!

ARAMINTE

Je ne vous interroge que par étonnement. Elle
ignore que vous l'aimez, dites-vous? et vous lui
sacrifiez votre fortune? Voilà de l'incroyable.
Comment, avec tant d'amour, avez-vous pu vous
taire? On essaie de se faire aimer, ce me semble :
cela est naturel et pardonnable.

DORANTE

Me préserve le Ciel d'oser concevoir la plus
légère espérance! Être aimé, moi! non, Madame ;
son état est bien au-dessus du mien ; mon
respect me condamne au silence ; et je mour-
rai, du moins, sans avoir eu le malheur de lui
déplaire.

ARAMINTE

Je n'imagine point de femme qui mérite d'inspirer une passion si étonnante; je n'en imagine point. Elle est donc au-dessus de toute comparaison ?

DORANTE

Dispensez-moi de la louer, Madame; je m'égarerais en la peignant. On ne connaît rien de si beau, ni de si aimable qu'elle; et jamais elle ne me parle, ou ne me regarde, que mon amour n'en augmente.

ARAMINTE, *baisse les yeux, et continue.*

Mais, votre conduite blesse la raison. Que prétendez-vous avec cet amour, pour une personne qui ne saura jamais que vous l'aimez ? cela est bien bizarre. Que prétendez-vous ?

DORANTE

Le plaisir de la voir quelquefois, et d'être avec elle, est tout ce que je me propose.

ARAMINTE

Avec elle ! Oubliez-vous que vous êtes ici ?

DORANTE

Je veux dire, avec son portrait, quand je ne la vois point.

ARAMINTE

Son portrait ! Est-ce que vous l'avez fait faire ?

DORANTE

Non, Madame ; mais j'ai, par amusement, appris à peindre ; et je l'ai peinte moi-même. Je me serais privé de son portrait, si je n'avais pu l'avoir que par le secours d'un autre.

ARAMINTE, *à part.*

Il faut le pousser à bout. *(Haut.)* Montrez-moi ce portrait.

DORANTE

Daignez m'en dispenser, Madame ; quoique mon amour soit sans espérance, je n'en dois pas moins un secret inviolable à l'objet aimé.

ARAMINTE

Il m'en est tombé un, par hasard, entre les mains ; on l'a trouvé ici. *(Montrant la boîte.)* Voyez si ce ne serait point celui dont il s'agit.

DORANTE

Cela ne se peut pas.

ARAMINTE, *ouvrant la boîte.*

Il est vrai que la chose serait assez extraordinaire. Examinez.

DORANTE

Ah ! Madame, songez que j'aurais perdu mille fois la vie, avant que d'avouer ce que le hasard vous découvre. Comment pourrai-je expier ?...

Il se jette à ses genoux.

ARAMINTE

Dorante, je ne me fâcherai point. Votre égarement me fait pitié; revenez-en, je vous le pardonne.

MARTON, *paraît*[1] *et s'enfuit.*

Ah!

Dorante se lève vite.

ARAMINTE

Ah, Ciel! C'est Marton! Elle vous a vu.

DORANTE, *feignant d'être déconcerté.*

Non, Madame, non; je ne crois pas; elle n'est point entrée.

ARAMINTE

Elle vous a vu, vous dis-je; laissez-moi. Allez-vous-en; vous m'êtes insupportable[2]. Rendez-moi ma lettre. *(Quand il est parti.)* Voilà pourtant ce que c'est, que de l'avoir gardé!

SCÈNE XVI

ARAMINTE, DUBOIS

DUBOIS

Dorante s'est-il déclaré, Madame? et est-il nécessaire que je lui parle?

ARAMINTE

Non, il ne m'a rien dit. Je n'ai rien vu d'approchant à ce que tu m'as conté[1] ; et qu'il n'en soit plus question ; ne t'en mêle plus.

Elle sort.

DUBOIS

Voici l'affaire dans sa crise !

SCÈNE XVII

DUBOIS, DORANTE

DORANTE

Ah ! Dubois.

DUBOIS

Retirez-vous.

DORANTE

Je ne sais qu'augurer de la conversation que je viens d'avoir avec elle.

DUBOIS

À quoi songez-vous ? Elle n'est qu'à deux pas. Voulez-vous tout perdre ?

DORANTE

Il faut que tu m'éclaircisses…

DUBOIS

Allez dans le jardin.

DORANTE

D'un doute[1]…

DUBOIS

Dans le jardin, vous dis-je ; je vais m'y rendre.

DORANTE

Mais…

DUBOIS

Je ne vous écoute plus.

DORANTE

Je crains plus que jamais.

ACTE III

SCÈNE PREMIÈRE

DORANTE, DUBOIS

DUBOIS

Non, vous dis-je ; ne perdons point de temps : la lettre est-elle prête ?

DORANTE, *la lui montrant.*

Oui, la voilà, et j'ai mis dessus rue du Figuier [1].

DUBOIS

Vous êtes bien assuré qu'Arlequin ne connaît pas ce quartier-là ?

DORANTE

Il m'a dit que non.

DUBOIS

Lui avez-vous bien recommandé de s'adresser à Marton ou à moi pour savoir ce que c'est ?

DORANTE

Sans doute, et je lui[1] recommanderai encore.

DUBOIS

Allez donc la lui donner, je me charge du reste auprès de Marton que je vais trouver.

DORANTE

Je t'avoue que j'hésite un peu; n'allons-nous pas trop vite avec Araminte? Dans l'agitation des mouvements où elle est, veux-tu encore lui donner l'embarras de voir subitement éclater l'aventure?

DUBOIS

Oh! oui : point de quartier[2], il faut l'achever, pendant qu'elle est étourdie. Elle ne sait plus ce qu'elle fait. Ne voyez-vous pas bien qu'elle triche avec moi, qu'elle me fait accroire que vous ne lui avez rien dit? Ah! je lui apprendrai à vouloir me souffler mon emploi de confident, pour vous aimer en fraude.

DORANTE

Que j'ai souffert dans ce dernier entretien! Puisque tu savais qu'elle voulait me faire déclarer, que ne m'en avertissais-tu par quelques signes?

DUBOIS

Cela aurait été joli, ma foi : elle ne s'en serait point aperçue, n'est-ce pas! et d'ailleurs, votre douleur n'en a paru que plus vraie. Vous repentez-vous de l'effet qu'elle a produit! Monsieur a souffert! Parbleu il me semble que cette aventure-ci mérite un peu d'inquiétude.

DORANTE

Sais-tu bien ce qui arrivera? Qu'elle prendra son parti, et qu'elle me renverra[1] tout d'un coup.

DUBOIS

Je lui en défie[2], il est trop tard; l'heure du courage est passée, il faut qu'elle nous épouse.

DORANTE

Prends-y garde; tu vois que sa mère la fatigue.

DUBOIS

Je serais bien fâché qu'elle la laissât en repos.

DORANTE

Elle est confuse de ce que Marton m'a surpris à ses genoux.

DUBOIS

Ah! vraiment des confusions! Elle n'y est pas, elle va en essuyer bien d'autres! C'est moi qui, voyant le train que prenait la conversation, ai fait venir Marton une seconde fois.

DORANTE

Araminte pourtant m'a dit que je lui étais insupportable.

DUBOIS

Elle a raison. Voulez-vous qu'elle soit de bonne humeur avec un homme qu'il faut qu'elle aime, en dépit d'elle ? Cela est-il agréable ? Vous vous emparez de son bien, de son cœur ; et cette femme ne criera pas ? Allez vite, plus de raisonnement, laissez-vous conduire.

DORANTE

Songe que je l'aime, et que, si notre précipitation réussit mal, tu me désespères.

DUBOIS

Ah ! oui, je sais bien que vous l'aimez ; c'est à cause de cela que je ne vous écoute pas. Êtes-vous en état de juger de rien ? Allons, allons, vous vous moquez. Laissez faire un homme de sang-froid. Partez, d'autant plus que voici Marton qui vient à propos, et que je vais tâcher d'amuser, en attendant que vous envoyiez Arlequin.

SCÈNE II

DUBOIS, MARTON

MARTON, *d'un air triste.*

Je te cherchais.

DUBOIS

Qu'y a-t-il pour votre service, Mademoiselle ?

MARTON

Tu me l'avais bien dit, Dubois.

DUBOIS

Quoi donc ? Je ne me souviens plus de ce que c'est.

MARTON

Que cet intendant osait lever les yeux sur Madame.

DUBOIS

Ah ! oui : vous parlez de ce regard que je lui vis jeter sur elle. Oh ! jamais je ne l'ai oublié : cette œillade-là ne valait rien ; il y avait quelque chose dedans qui n'était pas dans l'ordre.

MARTON

Oh çà, Dubois, il s'agit de faire sortir cet homme-ci.

DUBOIS

Pardi ! tant qu'on voudra : je ne m'y épargne pas. J'ai déjà dit à Madame qu'on m'avait assuré qu'il n'entendait pas les affaires.

MARTON

Mais est-ce là tout ce que tu sais de lui ? C'est de la part de madame Argante et de monsieur le Comte que je te parle, et nous avons peur que tu n'aies pas tout dit à Madame, ou qu'elle ne cache ce que c'est. Ne nous déguise rien, tu n'en seras pas fâché[1].

DUBOIS

Ma foi, je ne sais que son insuffisance, dont j'ai instruit Madame.

MARTON

Ne dissimule point.

DUBOIS

Moi! un dissimulé! Moi! garder un secret! Vous avez bien trouvé votre homme. En fait de discrétion je mériterais d'être femme. Je vous demande pardon de la comparaison; mais c'est pour vous mettre l'esprit en repos.

MARTON

Il est certain qu'il aime Madame.

DUBOIS

Il n'en faut point douter; je lui en ai même dit ma pensée à elle.

MARTON

Et qu'a-t-elle répondu?

DUBOIS

Que j'étais un sot; elle est si prévenue.

MARTON

Prévenue à un point que je n'oserais le dire, Dubois.

DUBOIS

Oh! le diable n'y perd rien, ni moi non plus[1]; car je vous entends.

MARTON

Tu as la mine d'en savoir plus que moi là-dessus.

DUBOIS

Oh! point du tout, je vous jure. Mais à propos, il vient tout à l'heure d'appeler Arlequin pour lui donner une lettre ; si nous pouvions la saisir, peut-être en saurions-nous davantage.

MARTON

Une lettre, oui-da ; ne négligeons rien. Je vais de ce pas parler à Arlequin, s'il n'est pas encore parti.

DUBOIS

Vous n'irez pas loin ; je crois qu'il vient.

SCÈNE III

DUBOIS, MARTON, ARLEQUIN

ARLEQUIN, *voyant Dubois.*

Ah ! te voilà donc, mal bâti.

DUBOIS

Tenez, n'est-ce pas là une belle figure pour se moquer de la mienne ?

MARTON

Que veux-tu, Arlequin ?

ARLEQUIN

Ne sauriez-vous pas où demeure la rue du Figuier, Mademoiselle ?

MARTON

Oui.

ARLEQUIN

C'est que mon camarade, que je sers[1], m'a dit
de porter cette lettre à quelqu'un qui est dans
cette rue, et comme je ne la sais pas, il m'a dit que
je m'en informasse à vous, ou à cet animal-là;
mais cet animal-là ne mérite pas que je lui en
parle, sinon pour l'injurier. J'aimerais mieux que
le Diable eût emporté toutes les rues, que d'en
savoir une par le moyen d'un malotru comme lui.

DUBOIS, *à Marton à part.*

Prenez la lettre. *(Haut.)* Non, non, Mademoiselle, ne lui enseignez rien; qu'il galope.

ARLEQUIN

Veux-tu te taire?

MARTON, *négligemment.*

Ne l'interrompez donc point, Dubois. Hé bien,
veux-tu me donner ta lettre? Je vais envoyer dans
ce quartier-là, et on la rendra à son adresse.

ARLEQUIN

Ah! voilà qui est bien agréable! Vous êtes une
fille de bonne amitié, Mademoiselle.

DUBOIS, *s'en allant.*

Vous êtes bien bonne d'épargner de la peine à
ce fainéant-là.

ARLEQUIN

Ce malhonnête! Va, va trouver le tableau pour
voir comme il se moque de toi.

MARTON, *seule avec Arlequin.*

Ne lui réponds rien : donne ta lettre.

ARLEQUIN

Tenez, Mademoiselle ; vous me rendrez un service qui me fait grand bien. Quand il y aura à trotter pour votre serviable personne, n'ayez point d'autre postillon que moi.

MARTON

Elle sera rendue exactement.

ARLEQUIN

Oui, je vous recommande l'exactitude à cause de monsieur Dorante, qui mérite toutes sortes de fidélités.

MARTON, *à part.*

L'indigne !

ARLEQUIN, *s'en allant.*

Je suis votre serviteur éternel.

MARTON

Adieu.

ARLEQUIN, *revenant.*

Si vous le rencontrez, ne lui dites point qu'un autre galope à ma place.

SCÈNE IV

MADAME ARGANTE, LE COMTE, MARTON

MARTON, *un moment seule.*

Ne disons mot que je n'aie vu ce que ceci contient.

MADAME ARGANTE

Eh bien, Marton, qu'avez-vous appris de Dubois?

MARTON

Rien, que ce que vous saviez déjà, Madame; et ce n'est pas assez.

MADAME ARGANTE

Dubois est un coquin qui nous trompe.

LE COMTE

Il est vrai que sa menace signifiait quelque chose de plus[1].

MADAME ARGANTE

Quoi qu'il en soit, j'attends monsieur Remy, que j'ai envoyé chercher; et s'il ne nous défait pas de cet homme-là, ma fille saura qu'il ose l'aimer; je l'ai résolu; nous en avons les présomptions les plus fortes; et ne fût-ce que par bienséance, il faudra bien qu'elle le chasse. D'un autre côté, j'ai fait venir l'intendant que monsieur le Comte lui proposait; il est ici, et je le lui présenterai sur-le-champ.

MARTON

Je doute que vous réussissiez si nous n'apprenons rien de nouveau. Mais, je tiens, peut-être, son congé, moi qui vous parle… Voici monsieur Remy ; je n'ai pas le temps de vous en dire davantage ; et je vais m'éclaircir.

Elle veut sortir.

SCÈNE V

MONSIEUR REMY, MADAME ARGANTE,
LE COMTE, MARTON

MONSIEUR REMY, *à Marton qui se retire.*

Bonjour, ma nièce, puisque enfin il faut que vous la soyez[1]. Savez-vous ce qu'on me veut ici ?

MARTON, *brusquement.*

Passez, Monsieur, et cherchez votre nièce ailleurs ; je n'aime point les mauvais plaisants.

Elle sort.

MONSIEUR REMY

Voilà une petite fille bien incivile. (*À madame Argante.*) On m'a dit de votre part de venir ici, Madame ; de quoi est-il donc question ?

MADAME ARGANTE, *d'un ton revêche.*

Ah ! c'est donc vous, monsieur le Procureur ?

MONSIEUR REMY

Oui, Madame, je vous garantis que c'est moi-même.

MADAME ARGANTE

Et de quoi vous êtes-vous avisé, je vous prie, de nous embarrasser d'un intendant de votre façon ?

MONSIEUR REMY

Et, par quel hasard, Madame y trouve-t-elle à redire ?

MADAME ARGANTE

C'est que nous nous serions bien passés du présent que vous nous avez fait.

MONSIEUR REMY

Ma foi ! Madame, s'il n'est pas à votre goût, vous êtes bien difficile.

MADAME ARGANTE

C'est votre neveu, dit-on ?

MONSIEUR REMY

Oui, Madame.

MADAME ARGANTE

Hé bien, tout votre neveu qu'il est, vous nous ferez un grand plaisir de le retirer.

MONSIEUR REMY

Ce n'est pas à vous que je l'ai donné.

MADAME ARGANTE

Non ; mais c'est à nous qu'il déplaît, à moi et à monsieur le Comte que voilà, et qui doit épouser ma fille.

MONSIEUR REMY, *élevant la voix.*

Celui-ci est nouveau ! Mais, Madame, dès qu'il n'est pas à vous, il me semble qu'il n'est pas essentiel qu'il vous plaise. On n'a pas mis dans le marché qu'il vous plairait, personne n'a songé à cela ; et, pourvu qu'il convienne à madame Araminte, tout doit être content. Tant pis pour qui ne l'est pas. Qu'est-ce que cela signifie ?

MADAME ARGANTE

Mais, vous avez le ton bien rogue, monsieur Remy.

MONSIEUR REMY

Ma foi, vos compliments ne sont pas propres à l'adoucir, madame Argante.

LE COMTE

Doucement, monsieur le Procureur, doucement ; il me paraît que vous avez tort.

MONSIEUR REMY

Comme vous voudrez, monsieur le Comte, comme vous voudrez ; mais cela ne vous regarde pas : vous savez bien que je n'ai pas l'honneur de vous connaître ; et nous n'avons que faire ensemble, pas la moindre chose.

LE COMTE

Que vous me connaissiez ou non, il n'est pas si peu essentiel que vous le dites, que votre neveu plaise à Madame; elle n'est pas une étrangère dans la maison.

MONSIEUR REMY

Parfaitement étrangère pour cette affaire-ci, Monsieur; on ne peut pas plus étrangère : au surplus, Dorante est un homme d'honneur, connu pour tel; dont j'ai répondu, dont je répondrai toujours, et dont Madame parle ici d'une manière choquante.

MADAME ARGANTE

Votre Dorante est un impertinent.

MONSIEUR REMY

Bagatelle! ce mot-là ne signifie rien dans votre bouche.

MADAME ARGANTE

Dans ma bouche! À qui parle donc ce petit praticien[1], monsieur le Comte? Est-ce que vous ne lui imposerez pas silence?

MONSIEUR REMY

Comment donc! m'imposer silence! à moi, procureur! Savez-vous bien qu'il y a cinquante ans que je parle, madame Argante?

MADAME ARGANTE

Il y a donc cinquante ans que vous ne savez ce que vous dites[2].

SCÈNE VI

ARAMINTE, MADAME ARGANTE,
MONSIEUR REMY, LE COMTE

ARAMINTE

Qu'y a-t-il donc ? On dirait que vous vous querellez.

MONSIEUR REMY

Nous ne sommes pas fort en paix, et vous venez très à propos, Madame : il s'agit de Dorante ; avez-vous sujet de vous plaindre de lui ?

ARAMINTE

Non, que je sache.

MONSIEUR REMY

Vous êtes-vous aperçue qu'il ait manqué de probité ?

ARAMINTE

Lui ? Non vraiment ; je ne le connais que pour un homme très estimable.

MONSIEUR REMY

Au discours que Madame en tient, ce doit pourtant être un fripon, dont il faut que je vous délivre, et on se passerait bien du présent que je vous ai fait, et c'est un impertinent qui déplaît à Madame, qui déplaît à Monsieur qui parle en qualité d'époux futur ; et à cause que je le défends, on veut me persuader que je radote.

ARAMINTE, *froidement.*

On se jette là dans de grands excès, je n'y ai point de part, Monsieur ; je suis bien éloignée de vous traiter si mal : à l'égard de Dorante, la meilleure justification qu'il y ait pour lui, c'est que je le garde. Mais je venais pour savoir une chose, monsieur le Comte ; il y a là-bas, m'a-t-on dit, un homme d'affaires que vous avez amené pour moi, on se trompe apparemment.

LE COMTE

Madame, il est vrai qu'il est venu avec moi ; mais c'est madame Argante…

MADAME ARGANTE

Attendez, je vais répondre : oui, ma fille, c'est moi qui ai prié Monsieur de le faire venir pour remplacer celui que vous avez, et que vous allez mettre dehors ; je suis sûre de mon fait. J'ai laissé dire votre procureur, au reste ; mais il amplifie.

MONSIEUR REMY

Courage !

MADAME ARGANTE, *vivement.*

Paix ; vous avez assez parlé. *(À Araminte.)* Je n'ai point dit que son neveu fût un fripon ; il ne serait pas impossible qu'il le fût, je n'en serais pas étonnée.

MONSIEUR REMY

Mauvaise parenthèse, avec votre permission, supposition injurieuse, et tout à fait hors d'œuvre.

MADAME ARGANTE

Honnête homme soit, du moins n'a-t-on pas
encore de preuves du contraire, et je veux croire
qu'il l'est. Pour un impertinent et très impertinent, j'ai dit qu'il en était un, et j'ai raison :
vous dites que vous le garderez ; vous n'en ferez
rien.

ARAMINTE, *froidement.*

Il restera, je vous assure.

MADAME ARGANTE

Point du tout, vous ne sauriez, seriez-vous
d'humeur à garder un intendant qui vous aime ?

MONSIEUR REMY

Eh ! à qui voulez-vous donc qu'il s'attache ? À
vous, à qui il n'a pas affaire ?

ARAMINTE

Mais en effet, pourquoi faut-il que mon intendant me haïsse ?

MADAME ARGANTE

Eh ! non, point d'équivoque : quand je vous dis
qu'il vous aime, j'entends qu'il est amoureux de
vous, en bon français, qu'il est, ce qu'on appelle
amoureux, qu'il soupire pour vous, que vous êtes
l'objet secret de sa tendresse.

MONSIEUR REMY, *étonné.*

Dorante ?

ARAMINTE, *riant.*

L'objet secret de sa tendresse! Oh, oui, très secret, je pense : ah! ah! je ne me croyais pas si dangereuse à voir. Mais dès que vous devinez de pareils secrets, que ne devinez-vous que tous mes gens sont comme lui? peut-être qu'ils m'aiment aussi : que sait-on? Monsieur Remy, vous qui me voyez assez souvent, j'ai envie de deviner que vous m'aimez aussi.

MONSIEUR REMY

Ma foi, Madame, à l'âge de mon neveu, je ne m'en tirais pas mieux qu'on dit qu'il s'en tire.

MADAME ARGANTE

Ceci n'est pas matière à plaisanterie, ma fille; il n'est pas question de votre monsieur Remy; laissons là ce bonhomme[1], et traitons la chose un peu plus sérieusement. Vos gens ne vous font pas peindre, vos gens ne se mettent point à contempler vos portraits, vos gens n'ont point l'air galant, la mine doucereuse.

MONSIEUR REMY, *à Araminte.*

J'ai laissé passer le bonhomme à cause de vous, au moins; mais le bonhomme est quelquefois brutal.

ARAMINTE

En vérité, ma mère, vous seriez la première à vous moquer de moi, si ce que vous dites me faisait la moindre impression, ce serait une enfance

à moi que de le renvoyer sur un pareil soupçon.
Est-ce qu'on ne peut me voir sans m'aimer[1]? Je
n'y saurais que faire, il faut bien m'y accoutumer
et prendre mon parti là-dessus. Vous lui trouvez
l'air galant, dites-vous, je n'y avais pas pris garde,
et je ne lui en ferai point un reproche ; il y aurait
de la bizarrerie à se fâcher de ce qu'il est bien fait.
Je suis d'ailleurs comme tout le monde, j'aime
assez les gens de bonne mine.

SCÈNE VII

ARAMINTE, MADAME ARGANTE,
MONSIEUR REMY, LE COMTE, DORANTE

DORANTE

Je vous demande pardon, Madame, si je vous
interromps ; j'ai lieu de présumer que mes services
ne vous sont plus agréables ; et dans la conjoncture présente, il est naturel que je sache mon sort.

MADAME ARGANTE, *ironiquement.*

Son sort ! Le sort d'un intendant : que cela est
beau !

MONSIEUR REMY

Et pourquoi n'aurait-il pas un sort ?

ARAMINTE, *d'un air vif à sa mère.*

Voilà des emportements qui m'appartiennent.
(À Dorante.) Quelle est cette conjoncture, Monsieur, et le motif de votre inquiétude ?

DORANTE

Vous le savez, Madame ; il y a quelqu'un ici que vous avez envoyé chercher pour occuper ma place.

ARAMINTE

Ce quelqu'un-là est fort mal conseillé. Désabusez-vous ; ce n'est point moi qui l'ai fait venir.

DORANTE

Tout a contribué à me tromper, d'autant plus que mademoiselle Marton vient de m'assurer que dans une heure je ne serais plus ici.

ARAMINTE

Marton vous a tenu un fort sot discours.

MADAME ARGANTE

Le terme est encore trop long : il devrait en sortir tout à l'heure.

MONSIEUR REMY, *comme à part.*

Voyons par où cela finira.

ARAMINTE

Allez, Dorante, tenez-vous en repos ; fussiez-vous l'homme du monde qui me convînt le moins, vous resteriez. Dans cette occasion-ci, c'est à moi-même que je dois cela[1] ; je me sens offensée du procédé qu'on a avec moi, et je vais faire dire à cet homme d'affaires qu'il se retire : que ceux qui l'ont amené, sans me consulter, le remmènent, et qu'il n'en soit plus parlé.

SCÈNE VIII

ARAMINTE, MADAME ARGANTE, MONSIEUR
REMY, LE COMTE, DORANTE, MARTON

MARTON, *froidement.*

Ne vous pressez pas de le renvoyer, Madame,
voilà une lettre de recommandation pour lui, et
c'est monsieur Dorante qui l'a écrite.

ARAMINTE

Comment ?

MARTON, *donnant la lettre au Comte.*

Un instant, Madame ; cela mérite d'être écouté :
la lettre est de Monsieur, vous dis-je.

LE COMTE, *lit haut.*

*Je vous conjure, mon cher ami, d'être demain sur les
neuf heures du matin chez vous ; j'ai bien des choses à
vous dire. Je crois que je vais sortir de chez la dame que
vous savez. Elle ne peut plus ignorer la malheureuse
passion que j'ai prise pour elle, et dont je ne guérirai
jamais.*

MADAME ARGANTE

De la passion ! Entendez-vous, ma fille ?

LE COMTE, *lit.*

*Un misérable ouvrier, que je n'attendais pas, est venu
ici pour m'apporter la boîte de ce portrait que j'ai fait
d'elle.*

MADAME ARGANTE

C'est-à-dire, que le personnage sait peindre.

LE COMTE, *lit.*

J'étais absent, il l'a laissée à une fille de la maison.

MADAME ARGANTE, *à Marton.*

Fille de la maison ? cela vous regarde.

LE COMTE, *lit.*

On a soupçonné que ce portrait m'appartenait ; ainsi je pense qu'on va tout découvrir, et qu'avec le chagrin d'être renvoyé, et de perdre le plaisir de voir tous les jours celle que j'adore…

MADAME ARGANTE

Que j'adore ! Ah ! que j'adore !

LE COMTE, *lit.*

J'aurai encore celui d'être méprisé d'elle.

MADAME ARGANTE

Je crois qu'il n'a pas mal deviné celui-là, ma fille.

LE COMTE, *lit.*

Non pas à cause de la médiocrité de ma fortune, sorte de mépris dont je n'oserais la croire capable…

MADAME ARGANTE

Eh ! pourquoi non ?

LE COMTE, *lit.*

Mais seulement du peu que je vaux auprès d'elle, tout honoré que je suis de l'estime de tant d'honnêtes gens.

MADAME ARGANTE

Et en vertu de quoi l'estiment-ils tant?

LE COMTE, *lit.*

Auquel cas, je n'ai plus que faire à Paris. Vous êtes à la veille de vous embarquer, et je suis déterminé à vous suivre[1].

MADAME ARGANTE

Bon voyage au galant.

MONSIEUR REMY

Le beau motif d'embarquement!

MADAME ARGANTE

Hé bien, en avez-vous le cœur net, ma fille?

LE COMTE

L'éclaircissement m'en paraît complet.

ARAMINTE, *à Dorante.*

Quoi! cette lettre n'est pas d'une écriture contrefaite? vous ne la niez point?

DORANTE

Madame…

ARAMINTE

Retirez-vous.

Dorante sort.

MONSIEUR REMY

Eh bien! quoi? c'est de l'amour qu'il a; ce n'est pas d'aujourd'hui que les belles personnes en donnent; et tel que vous le voyez, il n'en a pas pris pour toutes celles qui auraient bien voulu lui en donner. Cet amour-là lui coûte quinze mille livres de rente, sans compter les mers qu'il veut courir; voilà le mal; car, au reste, s'il était riche, le personnage en vaudrait bien un autre; il pourrait bien dire qu'il adore *(contrefaisant madame Argante).* Et cela ne serait point si ridicule. Accommodez-vous; au reste, je suis votre serviteur, Madame.

Il sort.

MARTON

Fera-t-on monter l'intendant que monsieur le Comte a amené, Madame?

ARAMINTE

N'entendrai-je parler que d'intendant! Allez-vous-en, vous prenez mal votre temps pour me faire des questions.

Marton sort.

MADAME ARGANTE

Mais, ma fille, elle a raison; c'est monsieur le Comte qui vous en répond, il n'y a qu'à le prendre.

ARAMINTE

Et moi, je n'en veux point.

LE COMTE

Est-ce à cause qu'il vient de ma part, Madame?

ARAMINTE

Vous êtes le maître d'interpréter, Monsieur ; mais je n'en veux point.

LE COMTE

Vous vous expliquez là-dessus d'un air de vivacité qui m'étonne.

MADAME ARGANTE

Mais en effet, je ne vous reconnais pas ! Qu'est-ce qui vous fâche ?

ARAMINTE

Tout. On s'y est mal pris ; il y a dans tout ceci des façons si désagréables, des moyens si offensants, que tout m'en choque.

MADAME ARGANTE, *étonnée.*

On ne vous entend point !

LE COMTE

Quoique je n'aie aucune part à ce qui vient de se passer, je ne m'aperçois que trop, Madame, que je ne suis pas exempt de votre mauvaise humeur, et je serais fâché d'y contribuer davantage par ma présence.

MADAME ARGANTE

Non, Monsieur, je vous suis. Ma fille, je retiens monsieur le Comte ; vous allez venir nous trouver apparemment. Vous n'y songez pas, Araminte ; on ne sait que penser.

SCÈNE IX

ARAMINTE, DUBOIS

DUBOIS

Enfin, Madame, à ce que je vois, vous en voilà délivrée. Qu'il devienne tout ce qu'il voudra à présent, tout le monde a été témoin de sa folie, et vous n'avez plus rien à craindre de sa douleur ; il ne dit mot. Au reste, je viens seulement de le rencontrer plus mort que vif, qui traversait la galerie pour aller chez lui. Vous auriez trop ri de le voir soupirer. Il m'a pourtant fait pitié. Je l'ai vu si défait, si pâle et si triste, que j'ai eu peur qu'il ne se trouve mal.

ARAMINTE, *qui ne l'a pas regardé*
jusque-là, et qui a toujours rêvé,
dit d'un ton haut.

Mais qu'on aille donc voir : quelqu'un l'a-t-il suivi ? Que ne le secouriez-vous ? Faut-il le tuer, cet homme ?

DUBOIS

J'y ai pourvu, Madame. J'ai appelé Arlequin qui ne le quittera pas, et je crois d'ailleurs qu'il n'arrivera rien : voilà qui est fini. Je ne suis venu que pour dire une chose ; c'est que je pense qu'il demandera à vous parler, et je ne conseille pas à Madame de le voir davantage ; ce n'est pas la peine.

ARAMINTE, *sèchement*.

Ne vous embarrassez pas, ce sont mes affaires.

DUBOIS

En un mot, vous en êtes quitte, et cela par le moyen de cette lettre qu'on vous a lue, et que mademoiselle Marton a tirée d'Arlequin par mon avis ; je me suis douté qu'elle pourrait vous être utile ; et c'est une excellente idée que j'aie eue là, n'est-ce pas, Madame ?

ARAMINTE, *froidement*.

Quoi ! c'est à vous que j'ai l'obligation de la scène qui vient de se passer ?

DUBOIS, *librement*.

Oui, Madame.

ARAMINTE

Méchant valet ! ne vous présentez plus devant moi.

DUBOIS, *comme étonné*.

Hélas ! Madame, j'ai cru bien faire.

ARAMINTE

Allez, malheureux ! il fallait m'obéir ; je vous avais dit de ne plus vous en mêler : vous m'avez jetée dans tous les désagréments que je voulais éviter. C'est vous qui avez répandu tous les soupçons qu'on a eus sur son compte, et ce n'est pas par attachement pour moi que vous m'avez appris

qu'il m'aimait : ce n'est que par le plaisir de faire
du mal : il m'importait peu d'en être instruite[1];
c'est un amour que je n'aurais jamais su, et je le
trouve bien malheureux d'avoir eu affaire à vous :
lui qui a été votre maître, qui vous affectionnait,
qui vous a bien traité, qui vient, tout récemment
encore, de vous prier à genoux de lui garder le
secret. Vous l'assassinez, vous me trahissez moi-
même. Il faut que vous soyez capable de tout, que
je ne vous voie jamais[2], et point de réplique.

DUBOIS, *s'en va en riant.*

Allons, voilà qui est parfait.

SCÈNE X

ARAMINTE, MARTON

MARTON, *triste*[3].

La manière dont vous m'avez renvoyée, il n'y a
qu'un moment, me montre que je vous suis désagréable, Madame, et je crois vous faire plaisir en
vous demandant mon congé.

ARAMINTE, *froidement.*

Je vous le donne.

MARTON

Votre intention est-elle que je sorte dès aujour-
d'hui, Madame ?

ARAMINTE

Comme vous voudrez.

MARTON

Cette aventure-ci est bien triste pour moi !

ARAMINTE

Oh ! point d'explication, s'il vous plaît.

MARTON

Je suis au désespoir !

ARAMINTE, *avec impatience.*

Est-ce que vous êtes fâchée de vous en aller ? Eh bien, restez, Mademoiselle, restez : j'y consens ; mais finissons.

MARTON

Après les bienfaits dont vous m'avez comblée, que ferais-je auprès de vous, à présent que je vous suis suspecte, et que j'ai perdu toute votre confiance ?

ARAMINTE

Mais que voulez-vous que je vous confie ? Inventerai-je des secrets pour vous les dire ?

MARTON

Il est pourtant vrai que vous me renvoyez, Madame, d'où vient ma disgrâce ?

ARAMINTE

Elle est dans votre imagination ; vous me demandez votre congé, je vous le donne.

MARTON

Ah ! Madame, pourquoi m'avez-vous exposée au malheur de vous déplaire ? J'ai persécuté, par ignorance, l'homme du monde le plus aimable, qui vous aime plus qu'on n'a jamais aimé.

ARAMINTE, *à part.*

Hélas !

MARTON

Et à qui je n'ai rien à reprocher ; car il vient de me parler ; j'étais son ennemie, et je ne la suis plus. Il m'a tout dit. Il ne m'avait jamais vue ; c'est monsieur Remy qui m'a trompée, et j'excuse Dorante.

ARAMINTE

À la bonne heure.

MARTON

Pourquoi avez-vous eu la cruauté de m'abandonner au hasard d'aimer un homme qui n'est pas fait pour moi, qui est digne de vous, et que j'ai jeté dans une douleur dont je suis pénétrée ?

ARAMINTE, *d'un ton doux.*

Tu l'aimais donc, Marton ?

MARTON

Laissons là mes sentiments. Rendez-moi votre amitié comme je l'avais, et je serai contente.

ARAMINTE

Ah ! je te la rends tout entière.

MARTON, *lui baisant la main.*

Me voilà consolée.

ARAMINTE

Non, Marton, tu ne l'es pas encore : tu pleures et tu m'attendris.

MARTON

N'y prenez point garde ; rien ne m'est si cher que vous !

ARAMINTE

Va, je prétends bien te faire oublier tous tes chagrins. Je pense que voici Arlequin.

SCÈNE XI

ARAMINTE, MARTON, ARLEQUIN

ARAMINTE

Que veux-tu ?

ARLEQUIN, *pleurant et sanglotant.*

J'aurais bien de la peine à vous le dire ; car je suis dans une détresse qui me coupe entièrement la parole, à cause de la trahison que mademoiselle Marton m'a faite. Ah ! quelle ingrate perfidie !

MARTON

Laisse là ta perfidie, et nous dis ce que tu veux.

ARLEQUIN

Ahi ! cette pauvre lettre : quelle escroquerie !

ARAMINTE

Dis donc.

ARLEQUIN

Monsieur Dorante vous demande, à genoux, qu'il vienne ici vous rendre compte des paperasses qu'il a eues dans les mains depuis qu'il est ici ; il m'attend à la porte où il pleure[1].

MARTON

Dis-lui qu'il vienne.

ARLEQUIN

Le voulez-vous, Madame ? car je ne me fie pas à elle. Quand on m'a une fois affronté, je n'en reviens point.

MARTON, *d'un air triste et attendri.*

Parlez-lui, Madame, je vous laisse.

ARLEQUIN, *quand Marton est partie.*

Vous ne me répondez point, Madame.

ARAMINTE

Il peut venir.

SCÈNE XII

DORANTE, ARAMINTE

ARAMINTE

Approchez, Dorante.

DORANTE

Je n'ose presque paraître devant vous.

ARAMINTE, *à part.*

Ah! je n'ai guère plus d'assurance que lui. *(Haut.)* Pourquoi vouloir me rendre compte de mes papiers? Je m'en fie bien à vous; ce n'est pas là-dessus que j'aurai à me plaindre.

DORANTE

Madame… j'ai autre chose à dire… je suis si interdit, si tremblant que je saurais parler.

ARAMINTE, *à part avec émotion.*

Ah! que je crains la fin de tout ceci!

DORANTE, *ému.*

Un de vos fermiers est venu tantôt, Madame.

ARAMINTE, *émue.*

Un de mes fermiers!… cela se peut bien.

DORANTE

Oui, Madame… il est venu.

ARAMINTE, *toujours émue.*

Je n'en doute pas.

DORANTE, *ému.*

Et j'ai de l'argent à vous remettre.

ARAMINTE

Ah! de l'argent!... nous verrons.

DORANTE

Quand il vous plaira, Madame, de le recevoir.

ARAMINTE

Oui... je le recevrai... vous me le donnerez. *(À part.)* Je ne sais ce que je lui réponds.

DORANTE

Ne serait-il pas temps de vous l'apporter ce soir, ou demain, Madame?

ARAMINTE

Demain, dites-vous! Comment vous garder jusque-là, après ce qui est arrivé?

DORANTE, *plaintivement.*

De tout le reste de ma vie[1], que je vais passer loin de vous, je n'aurais plus que ce seul jour qui m'en serait précieux.

ARAMINTE

Il n'y a pas moyen, Dorante; il faut se quitter. On sait que vous m'aimez, et on croirait que je n'en suis pas fâchée.

DORANTE

Hélas, Madame ! que je vais être à plaindre !

ARAMINTE

Ah ! allez, Dorante, chacun a ses chagrins.

DORANTE

J'ai tout perdu ! J'avais un portrait, et je ne l'ai plus.

ARAMINTE

À quoi vous sert de l'avoir ? vous savez peindre.

DORANTE

Je ne pourrai de longtemps m'en dédommager ; d'ailleurs, celui-ci m'aurait été bien cher ! Il a été entre vos mains, Madame.

ARAMINTE

Mais, vous n'êtes pas raisonnable.

DORANTE

Ah, Madame ! je vais être éloigné de vous ; vous serez assez vengée ; n'ajoutez rien à ma douleur !

ARAMINTE

Vous donner mon portrait ! songez-vous que ce serait avouer que je vous aime ?

DORANTE

Que vous m'aimez, Madame ! Quelle idée ! qui pourrait se l'imaginer ?

ARAMINTE, *d'un ton vif et naïf.*

Et voilà pourtant ce qui m'arrive[1].

DORANTE, *se jetant à ses genoux.*

Je me meurs!

ARAMINTE

Je ne sais plus où je suis[2] : modérez votre joie ; levez-vous, Dorante.

DORANTE, *se lève, et tendrement*[3].

Je ne la mérite pas ; cette joie me transporte ; je ne la mérite pas, Madame : vous allez me l'ôter ; mais, n'importe, il faut que vous soyez instruite.

ARAMINTE, *étonnée.*

Comment! que voulez-vous dire ?

DORANTE

Dans tout ce qui s'est passé chez vous, il n'y a rien de vrai que ma passion, qui est infinie, et que le portrait que j'ai fait ; tous les incidents qui sont arrivés partent de l'industrie d'un domestique, qui savait mon amour, qui m'en plaint, qui, par le charme de l'espérance du plaisir de vous voir, m'a, pour ainsi dire, forcé de consentir à son stratagème : il voulait me faire valoir auprès de vous. Voilà, Madame, ce que mon respect, mon amour et mon caractère ne me permettent pas de vous cacher. J'aime encore mieux regretter votre tendresse que de la devoir à l'artifice qui me l'a acquise ; j'aime mieux votre haine que le remords d'avoir trompé ce que j'adore.

ARAMINTE, *le regardant quelque temps*
sans parler.

Si j'apprenais cela d'un autre que de vous, je vous haïrais, sans doute ; mais l'aveu que vous m'en faites vous-même, dans un moment comme celui-ci, change tout. Ce trait de sincérité me charme, me paraît incroyable, et vous êtes le plus honnête homme du monde. Après tout, puisque vous m'aimez véritablement, ce que vous avez fait pour gagner mon cœur n'est point blâmable : il est permis à un amant de chercher les moyens de plaire, et on doit lui pardonner lorsqu'il a réussi.

DORANTE

Quoi ! la charmante Araminte daigne me justifier !

ARAMINTE

Voici le Comte avec ma mère ; ne dites mot, et laissez-moi parler.

SCÈNE XIII ET DERNIÈRE

DORANTE, ARAMINTE, LE COMTE,
MADAME ARGANTE

MADAME ARGANTE, *voyant Dorante.*

Quoi ! le voilà encore !

ARAMINTE, *froidement.*

Oui, ma mère. *(Au Comte.)* Monsieur le Comte, il était question de mariage entre vous et moi, et il n'y faut plus penser. Vous méritez qu'on vous aime; mon cœur n'est point en état de vous rendre justice, et je ne suis pas d'un rang qui vous convienne.

MADAME ARGANTE

Quoi donc! que signifie ce discours?

LE COMTE

Je vous entends, Madame; et sans l'avoir dit à Madame *(montrant madame Argante)* je songeais à me retirer. J'ai deviné tout. Dorante n'est venu chez vous qu'à cause qu'il vous aimait: il vous a plu; vous voulez lui faire sa fortune: voilà tout ce que vous alliez dire.

ARAMINTE

Je n'ai rien à ajouter.

MADAME ARGANTE, *outrée.*

La fortune à cet homme-là!

LE COMTE, *tristement.*

Il n'y a plus que notre discussion, que nous réglerons à l'amiable; j'ai dit que je ne plaiderais point, et je tiendrai parole.

ARAMINTE

Vous êtes bien généreux: envoyez-moi quelqu'un qui en décide, et ce sera assez.

MADAME ARGANTE

Ah! la belle chute! Ah! ce maudit intendant! Qu'il soit votre mari tant qu'il vous plaira; mais il ne sera jamais mon gendre.

ARAMINTE

Laissons passer sa colère, et finissons.

Ils sortent.

DUBOIS

Ouf! ma gloire m'accable : je mériterais bien d'appeler cette femme-là ma bru.

ARLEQUIN

Pardi, nous nous soucions bien de ton tableau à présent : l'original nous en fournira bien d'autres copies[1].

DOSSIER

CHRONOLOGIE
1688-1763

1688. *Première semaine de février :* naissance à Paris de Pierre
Carlet. Son père, ancien « officier de marine », fut « tré-
sorier des vivres » en Allemagne de 1688 à 1697, puis
« contrôleur-contregarde » à la Monnaie de Riom en
1699, et enfin directeur de cette Monnaie de 1701 à
1719, date de sa mort. Sa mère, Marie Anne, était la
sœur de Pierre Bullet, « architecte du Roi », dont le fils,
Jean-Baptiste Bullet de Chamblain, fut aussi un architecte important et fit partie, comme lui, de l'Académie
d'architecture, dès 1699.

1710. *Novembre :* ancien élève du collège de l'Oratoire de
Riom, « Petrus Decarlet, Arvernus », s'inscrit à la Faculté
de droit de Paris.

1712. *Mars-avril :* troisième inscription en droit, comme
« Parisiensis »; publication du *Père prudent et équitable*,
comédie. *Juin-juillet :* le jeune homme renonce à passer
le baccalauréat en droit et soumet à l'approbation son
premier roman, *Les Aventures de ˟˟˟, ou les Effets surprenants de la sympathie*, profondément influencé par les
grands romans de l'époque baroque et dont le tome I
et le tome II paraîtront l'année suivante.

1713. Le libraire Pierre Prault obtient un privilège pour *Pharsamon ou les Nouvelles Folies romanesques*, malicieuse et
complexe parodie qui ne sera publiée qu'en 1737.

1714. *La Voiture embourbée*, « petite histoire » comique dont les
personnages se relaient pour « inventer » un « *roman*

impromptu » conté dans « des goûts différents ». *Les Effets surprenants de la sympathie* (t. III-V). *Le Bilboquet*, évocation ludique des ravages qu'entraîne la mode de ce jeu.

1716. *L'Homère travesti*, poème burlesque en douze chants, parodie de *L'Iliade* de La Motte. Le nom de Marivaux apparaît pour la première fois, dans l'épître dédicatoire.

1717. Pierre Carlet de Marivaux épouse Colombe Bollogne, fille d'un avocat, « conseiller du Roi en la prévôté de Sens », qu'il perdra entre 1723 et 1725 ; Marivaux a pour témoin Prosper Jolyot de Crébillon (« Crébillon le tragique »). Ses *Lettres sur les habitants de Paris* commencent à paraître dans le *Nouveau Mercure*.

1718. Naissance de sa fille, Colombe Prospère, filleule de Prosper Jolyot de Crébillon.

1719. Fougueux intellectuel « Moderne », il publie dans le *Nouveau Mercure* des *Pensées sur différents sujets* (« Sur la clarté du discours » et « Sur le sublime »), puis la première des *Lettres contenant une aventure*. Démarche pour succéder à son père, décédé, à la Monnaie de Riom.

1720. Une partie importante de la dot de sa femme fond dans le désastre du Système de Law. À la Comédie-Italienne : *L'Amour et la Vérité* (3 actes), en collaboration avec Saint-Jorry : une seule représentation ; *octobre* : *Arlequin poli par l'amour* (1 acte) : succès. Au Théâtre-Français : *Annibal*, tragédie (3 représentations seulement ; « remis au théâtre » avec un certain succès en 1747).

1721. Ayant repris ses études de droit, Marivaux est admis au baccalauréat, puis à la licence. Il lance un périodique : *Le Spectateur français*, inspiré par le *Spectator* d'Addison et Steele, et dont vingt-cinq feuilles paraîtront, jusqu'à 1724.

1722. *Mai : La Surprise de l'amour* (3 actes ; Comédie-Italienne) : 16 représentations dans la première série ; 318 spectateurs, en moyenne, lors des dix premières[1]. En renon-

---

1. Pour les pièces qui ont suivi, les chiffres fournis, d'après les registres qui subsistent, concerneront, eux aussi, *la première série de représentations* et le nombre *moyen* de spectateurs *lors des dix premières*. On trouvera ces indications pour le Théâtre Italien dans Brenner (Clarence D.), *The Théâtre Italien, its repertory, 1716-1793*, Berkeley,

çant à la succession de son père, Marivaux se déclare «avocat au Parlement»; mais il est à peu près certain qu'il n'a jamais plaidé. Son *Spectateur* commence à lui valoir, de la part des critiques les plus conservateurs, comme «héros du parti moderne», puis comme «néologue», des attaques qui le poursuivront pendant une bonne douzaine d'années.

1723. *Avril : La Double Inconstance* (3 actes; C.I.) : 15 représentations.

1724. *Février : Le Prince travesti* (3 actes; C.I.) : «comédie héroïque» créée devant un public tumultueux; 17 représentations; 705 spectateurs (1 246, lors de la quatrième). *Juillet : La Fausse Suivante* (3 actes; C.I.) : 13 représentations; 459 spectateurs. *Décembre : Le Dénouement imprévu* (1 acte; Théâtre-Français) : 6 représentations.

1725. *Mars : L'Île des esclaves* (1 acte; C.I.) : 20 représentations; 1 121 spectateurs à la troisième. *Août : L'Héritier de village* (1 acte; C.I.) : 9 représentations.

1727. *L'Indigent philosophe, ou l'Homme sans souci*, périodique (sept feuilles retrouvées à ce jour). *Les Petits Hommes, ou l'Île de la raison* (3 actes; T.F.), comédie «magnifiquement sifflée» : 4 représentations. *Décembre : La* seconde *Surprise de l'amour* (3 actes; T.F.) : 14 représentations; 455 spectateurs.

1728. *Le Triomphe de Plutus* (1 acte; C.I.) : 12 représentations; 243 spectateurs.

1729. *La Nouvelle Colonie, ou la Ligue des femmes* (3 actes, C.I.) : cabale, une seule représentation.

1730. *Janvier : Le Jeu de l'amour et du hasard* (3 actes; C.I.) : 15 représentations; 683 spectateurs (1 049 à la quatrième).

1731. Première partie de *La Vie de Marianne*. *La Réunion des Amours* (1 acte; T.F.), «fort bien représentée et fort applaudie»; 8 représentations.

1732. *Mars : Le Triomphe de l'amour* (3 actes; C.I.) : 6 représentations. *Juin : Les Serments indiscrets* (5 actes; T.F.) :

1961; et pour le Théâtre-Français dans Lancaster (Henry Carrington), *The Comédie-Française, 1701-1774*, Philadelphie, 1951.

retentissante cabale ; 9 représentations. *Juillet : L'École des mères* (1 acte ; C.I.) : succès malgré la date tardive ; 12 représentations ; 395 spectateurs. *Décembre :* le nom de Marivaux apparaît souvent parmi ceux des candidats à l'Académie. Ce sera encore le cas en octobre 1733, janvier 1735 et juin 1736.

1733. *Juin : L'Heureux Stratagème* (3 actes ; C.I.) : 18 représentations.

1734. Seconde partie de *La Vie de Marianne. Le Cabinet du philosophe*, dernier journal de Marivaux (onze feuilles). Quatre premières parties du *Paysan parvenu. La Méprise* (1 acte ; C.I.) : 3 représentations. *Le Petit-Maître corrigé* (3 actes ; T.F.) : cabale ; 2 représentations.

1735. *Mai : La Mère confidente* (3 actes ; C.I.) : 17 représentations ; 576 spectateurs. Cinquième et dernière partie du *Paysan parvenu*. Troisième partie de *La Vie de Marianne.* Début de la publication, en Hollande, du *Télémaque travesti*, parodie des *Aventures de Télémaque*, écrit une vingtaine d'années plus tôt et désavoué par Marivaux. La troupe de Caroline Neuber joue à Hambourg cinq de ses comédies adaptées en allemand.

1736. *La Vie de Marianne* (4ᵉ-6ᵉ parties). Suite et fin de la publication du *Télémaque travesti. Le Paysan parvenu* et *La Vie de Marianne* sont traduits en anglais, début d'une consécration européenne. *Le Legs* (1 acte ; T.F.) : 8 représentations.

1737. *Mars : Les Fausses Confidences* (3 actes ; C.I.) : 5 représentations. Publication de *Pharsamon, ou les Nouvelles Folies romanesques*, lui aussi désavoué, et de deux nouvelles parties de *La Vie de Marianne*.

1738. *Juillet :* création de *La Joie imprévue* (1 acte ; C.I.), à l'occasion d'une reprise des *Fausses Confidences*.

1739. *Janvier : Les Sincères* (1 acte ; C.I.), pièce « fort applaudie à la première représentation », moins bien accueillie ensuite.

1740. *Novembre : L'Épreuve* (1 acte ; C.I.) : 17 représentations ; 475 spectateurs.

1741. Composition de *La Commère*, jamais jouée à la Comédie-Italienne, éditée pour la première fois en 1966.

1742. Publication des neuvième, dixième et onzième parties

de *La Vie de Marianne*. Marivaux aide Jean-Jacques Rous-
seau à retoucher son *Narcisse*. Il est élu à l'Académie
française grâce à l'intervention d'une amie influente,
Mme de Tencin.

1743. *Février :* réception à l'Académie française : Languet de
Gergy, archevêque de Sens, lui reproche de s'être livré
à « une peinture trop naïve des faiblesses humaines » ; il
devrait son élection à l'estime des académiciens pour
« [ses] mœurs, [son] bon cœur, la douceur de [sa]
société ». Marivaux y sera particulièrement assidu et, de
1744 à 1755, y fera des lectures publiques sur des sujets
historiques ou philosophiques, dont une partie sera
publiée dans le *Mercure de France*.

1744. *La Dispute* (1 acte ; T.F.), « retirée dès la première représentation ».

1746. *Le Préjugé vaincu* (1 acte ; T.F.) : 7 représentations ; « très
grand succès » à la cour. Acte d'examen de « sœur
Colombe Prospère Carlet de Marivaux », novice à
l'abbaye cistercienne du Trésor depuis 1745 (près
d'Écos, dans l'Eure). Elle y mourra, « religieuse de
chœur », en 1788.

1747-1749. Publication à Hanovre de la traduction allemande
de onze pièces de Marivaux (Johann Christian Krüger).

1751. Le *Mercure de France* (numéro de décembre 1750)
publie *La Colonie* (1 acte), version réduite de la pièce de
1729, « jouée dans une société ».

1753. *Juillet :* Marivaux reconnaît devoir 20 900 livres à
Mlle de Saint-Jean pour les « pensions et logements »
qu'elle lui a « fournis », rue de Richelieu. Il s'acquitte
de 900 livres en lui vendant la plupart de ses meubles et
tableaux. Son portrait par Louis-Michel Van Loo est
exposé au Salon de l'Académie royale de peinture et
d'architecture.

1755. Le *Mercure de France* publie *L'Éducation d'un prince, Dia-
logue*, puis *Le Miroir*, panorama familier de l'évolution
de la littérature. Deux représentations de *La Femme
fidèle* (1 acte) chez le comte de Clermont, au théâtre de
Berny.

1757. Marivaux lit aux Comédiens-Français *Félicie* et *L'Amante
frivole*, aujourd'hui perdue, qui sont reçues « pour être

jouée[s] à [leur] tour». Publication de *Félicie* (1 acte) dans le *Mercure de France* et des *Acteurs de bonne foi* (1 acte) dans *Le Conservateur*. L'écrivain se libère de ses dettes envers Mlle de Saint-Jean ; la somme importante qu'il apporte provient très probablement de la cession de ses œuvres au libraire Nicolas-Bonaventure Duchesne, qui réunira l'année suivante en cinq volumes ses pièces «françaises» et ses pièces «italiennes» postérieures à 1730.

1758. *20 janvier :* en quelques lignes Marivaux rédige son testament.

1761. *La Provinciale* (1 acte) paraît dans le *Mercure de France*.

1763. *12 février :* mort de Marivaux.

NOTICE

Les Fausses Confidences ont connu au XVIIIe siècle un destin particulier, puisque, sans avoir été victimes d'une cabale comme tant de pièces de Marivaux, il leur a fallu plusieurs décennies pour parvenir à s'imposer. Présentées anonymement à la Comédie-Italienne, avec *Les Mascarades amoureuses*, de Guyot de Merville, le samedi 16 mars 1737, elles furent jouées devant 524 spectateurs, alors que, dans le courant de la semaine, même un programme composé de deux pièces aussi appréciées que l'*Arlequin sauvage* de Delisle et *Arlequin poli par l'amour* n'en avait pas réuni plus de 91. Mais jusqu'au dimanche 24, date de leur cinquième et dernière représentation, avec moins de 300 spectateurs en moyenne, la pièce ne fit pas recette.

Dans son numéro de mars, paru vers le 10 avril, le rédacteur du *Mercure de France* signala fort aimablement que *La Fausse Confidence (sic)* avait été « reçue favorablement du public » ; mais le compte rendu qu'il promettait ne parut jamais. Le 1er avril, le commissaire Dubuisson avait écrit au marquis de Caumont qui détestait la manière de l'auteur : « M. de Marivaux a donné, aux Italiens, *Les Fausses Confidences* [...], qui n'a eu qu'un très médiocre succès. Cette pièce était dans le véritable genre de la comédie, mais elle péchait en beaucoup de points, et d'ailleurs elle était si mal jouée ! Au reste, c'était encore une surprise de l'amour. » Le 13, dans une petite pièce jouée au théâtre de la Foire, *L'Industrie*, Carolet et Pannard introduisirent un ballet où « différents tableaux » évoquaient l'infortune générale des comédies jouées cet hiver-là chez les Italiens comme chez les Français, « *Les Fausses Confidences, Les Impromptus de l'amour* et *L'École des amis* étouffés par des danseurs de corde », tandis que triomphait « la fameuse contredanse » de la Découpure « composée par Mlle Sallé »... Comment affronter pareille concurrence ?

Quand en 1738 *Les Fausses Confidences* furent reprises, à l'occasion de la création de *La Joie imprévue*, dans la morte-saison des théâtres, un 7 juillet, le rédacteur du *Mercure* laissa bien voir qu'il avait d'abord quelque peu embelli les faits : « Cette pièce fut précédée d'une autre en prose et en trois actes du même auteur, intitulée : *Les Fausses Confidences*, remise au théâtre et généralement applaudie ; elle avait été donnée dans sa nouveauté au mois de mars de l'année passée, et n'avait eu qu'un très médiocre succès. Le public a rendu, à la reprise de cette ingénieuse pièce, toute la justice qu'elle mérite, ayant été représentée par les principaux acteurs dans la plus grande perfection. » Les registres du Théâtre Italien manquent pour cette période, mais le *Mercure* confirma ces dires dans son numéro d'octobre, à propos de la publication de la comédie.

Deux nouvelles reprises, assez timides, permirent bientôt aux *Fausses Confidences* d'entrer au répertoire : sept représentations d'août à décembre 1740, quatre en octobre-novembre 1741 — avec des affluences particulièrement importantes lorsque figurait au programme un ballet à succès... Cette comédie finit cependant par se hisser, peu à peu, au quatrième rang parmi les « grandes pièces » de Marivaux (ses pièces en trois ou cinq actes) jouées à la Comédie-Italienne jusqu'en 1750, après *Le Jeu de l'amour et du hasard, La Surprise de l'amour* et *La Double Inconstance* : une soixantaine de représentations recensées et près de 28 000 spectateurs.

Dans la seconde moitié du siècle son audience ne fit que se confirmer. Entre 1750 et 1769, année où les pièces françaises furent éliminées pour dix ans du répertoire de la Comédie-Italienne, elle y fut encore représentée une soixantaine de fois ; puis, reprise en 1779 immédiatement après *Le Jeu de l'amour et du hasard*, elle connut trente nouvelles représentations jusqu'à juin 1788. Mais ce qui constitue un phénomène beaucoup plus important, c'est qu'à la fin des années 1760 avait commencé l'élargissement de sa diffusion : dans des salles privées, comme celle du duc d'Orléans, à Bagnolet, et dans des théâtres de province : Frédéric Deloffre[1] cite une lettre où la marquise de Vichy évoque une représentation à Marseille en octobre 1767, « avec une fort bonne actrice et un Arlequin pas mauvais ». Pendant la Révolution, lorsque fut établie la liberté des spectacles, elle figura à l'affiche des principaux théâtres de Paris. Le Théâtre-Français de la rue de Richelieu, futur Théâtre de la République, où s'étaient groupés les acteurs les plus ardemment « patriotes » de l'ancienne Comédie-Française, en donna dix représentations, avec Talma dans le rôle de Dorante, de juillet 1791 à mai 1792 (bientôt suivies par celles du Théâtre du Marais), puis deux autres en mai 1793. Le Théâtre de la Nation prit le relais, du 15 juin au 6 juillet 1793 : Araminte et Dubois étaient incarnés par Louise Contat et Dazincourt, les créateurs des rôles de Figaro et de Suzanne. Survinrent deux mois plus tard, la fermeture des théâtres et la longue incarcération des acteurs... Mais, après avoir échappé à la mort, c'est dans *Les Fausses Confidences* (avec *La Métromanie*, de Piron) qu'ils reparurent, sur la scène du Théâtre de l'Égalité, en 1794, un 29 thermidor, moins de trois semaines après la chute de Robespierre[2].

Dans les pays germaniques la carrière de la pièce fut assez étonnante. Jouée en allemand par la compagnie Ackermann à partir de 1765, elle inspira à Lessing un article de sa *Dramaturgie de Hambourg* (18e feuilleton ; 30 juin 1767) où il s'agit des petites étapes précises par lesquelles passent les personnages de Marivaux, puis elle fut montée près de ceux cents fois à Vienne jusqu'à 1840, figura au programme des différents « théâtres nationaux » allemands, lors du *Sturm und Drang*, dans la traduction de F.W. Gotter (1774), et voyagea « à travers toute l'Europe » (J. Lacant), de Cologne à Riga, d'Aix-la-Chapelle à Temeswar (Timisoara). Comment ne pas penser que, même édulcoré dans cette version germanisée, parsemée d'effusions sentimentales et de lourdes plaisanteries, son texte n'avait pas gardé quelques vertus ? Ou, tout au moins, son

1. *Théâtre complet* de Marivaux, Classiques Garnier, t. II, p. 354.
2. Voir les ouvrages d'André Tissier et Maurice Descotes cités dans la bibliographie.

intrigue? Car, à voir les rapprochements qu'au XIXe siècle les
critiques ont parfois établis entre *Les Fausses Confidences* et des
œuvres de leur temps — fût-ce *Le Roman d'un jeune homme
pauvre* d'Octave Feuillet — on pourrait être tenté de penser
que, d'adaptations en réadaptations, jusqu'au début de notre
Troisième République, la pièce a poursuivi souterrainement
son destin, comme certaines *comedias* du Siècle d'or espagnol.

SOURCES?

D'où pouvait-elle provenir? On a voulu, beaucoup plus tôt
que pour la plupart des autres comédies de Marivaux, lui assi-
gner des sources. À son propos Théophile Gautier évoquait
précisément une des pièces les plus célèbres de Lope de Vega :
Le Chien du jardinier (El Perro del hortelano). Le chien du jardinier ne mange pas de fruits, mais (comme dans *L'Heureux Stratagème*) ne peut pas supporter qu'un autre veuille le faire. La
comtesse Diane de Belfior s'éprend de Théodore, son secrétaire, en le voyant tourner ses regards vers une autre, mais se
refuse à admettre qu'elle puisse aimer un homme d'une condition sociale inférieure à la sienne. Plusieurs critiques (Desboulmiers et d'Origny) estimaient déjà au XVIIIe siècle que
Marivaux avait bien pu « consulte[r] » une pièce fondée sur la
même intrigue : *La Dame amoureuse par envie*, de Luigi Riccoboni, jouée en italien du 6 juillet 1716 au 1er septembre 1721.
Flaminia tombe amoureuse de son secrétaire (Lélio), alors que
celui-ci est épris de sa soubrette (Silvia). Elle lui avoue ses tour-
ments en les attribuant à une amie, lui fait des avances de plus
en plus claires, cherche à éveiller sa jalousie en lui demandant
conseil sur le prétendant qu'elle doit épouser; mais quand il
se prend au jeu, elle se sent offensée, décide de le chasser et
refuse de laisser partir avec lui sa soubrette. Lors des adieux,
tout s'arrangera pour elle, avec la révélation de la noble naissance du secrétaire qui, jusque-là, faisait figure d'arriviste.
  Marivaux a bien pu en effet penser à cette pièce, mais pour
s'en servir de repoussoir, car quel rapport peut-il y avoir entre
les dispositions fluctuantes de ce Lélio et l'indéfectible volonté
de Dorante; entre cette « dame » hautaine, jalouse et capricieuse et le femme naturelle qu'est si profondément Ara-

minte? Chez celle-ci la jalousie n'éclate d'ailleurs qu'un instant, le temps de s'écrier «Cette folle!» (II, 15) en pensant à
Marton; à moins justement que ce cri du cœur ne la révèle
trop sûre, déjà, d'être aimée pour voir une rivale dans sa jeune
suivante… Par-delà cette *Dame amoureuse par envie*, ce sont certains des nobles «artifices» des plus hautes *comedias* du Siècle
d'or que le dramaturge paraît exploiter avec délice, comme la
lettre dictée à l'amant ou l'objet précieux qu'est le portrait de
la femme aimée. Quand Araminte se met à dire à Dorante
qu'elle est «déterminée à épouser le Comte» et constate,
quelques instants après, qu'«il change de couleur» (II, 13), il
est difficile de ne pas penser à la scène de *Dédain contre dédain*,
de Moreto, où Diana, princesse de Barcelone, veut vaincre le
«silence» de Carlos, comte d'Urgel : «Est-ce qu'il ne paraît
pas que le Prince de Béarn serait plus digne de mon cœur?
[…] *À part.* […] Il a perdu toute couleur.» Même dépouille-
ment, même effet d'extrême stylisation.

Marivaux s'est approprié d'autres situations pour les avoir
savourées dans des œuvres profondément différentes des
Fausses Confidences; mais comment prétendre en dresser la
liste? Tels instants des *Amants magnifiques* de Molière, où Cliti-
das reçoit les confidences de Sostrate, amoureux tremblant,
ou bien se fait son truchement auprès de la princesse Éri-
phile : «Mais, dites-moi un peu, qu'espérez-vous faire? — Mourir sans déclarer ma passion. — L'espérance est belle» (I, 1).
«J'ai tiré de son cœur, par surprise, un secret qu'il veut cacher
à tout le monde et avec lequel il est, dit-il, résolu de mourir»
(II, 2)? Plus sûrement, un des moments initiaux de l'épisode
«libertin» des *Illustres Françaises*, de Robert Challe[1] : pour
entrer en contact avec une «charmante veuve» dont il s'est
épris, Dupuis recourt à son valet, Poitiers, homme «hardi et
capable de toutes sortes d'intrigues». Duboîs tirera profit du
ton d'effusion populaire — d'une naïveté soigneusement étu-
diée! — avec lequel cet «effronté laquais» fait l'éloge de son
maître : «S'[il] n'était pas l'homme de France le mieux fait, le
plus galant, et le plus honnête homme, je ne resterai pas un
quart d'heure chez lui. Oui, Madame, il en vaut la peine, et

---

1. Publié anonymement en Hollande en 1713, l'ouvrage avait été
réédité plusieurs fois en France à partir de 1723, notamment chez
Prault, le libraire de Marivaux.

vous serez peut-être fâchée de ne pas l'avoir connu plus tôt. »
La veuve rit de bon cœur de ce discours cousu de fil blanc[1]…

Comme l'a montré Mme Lucette Desvignes-Parent dans
Marivaux et l'Angleterre[2], on est parfois plus près encore des
Fausses Confidences dans une comédie qui n'avait pas encore
été traduite en français : *The Beaux' Stratagem (Le Stratagème des
galants)*, de George Farquhar (1707). Dans cette « folle sarabande » (suivant l'expression de la critique) certains personnages secondaires peuvent fugitivement faire penser à ceux de
Marivaux : la gentille Cherry, l'aubergiste Boniface qui est
tout aussi fier d'avoir « vécu de la bière » « pendant cinquante-
huit ans » (« Eight-and-fifty years, upon my credit, Sir ») que
M. Remy de son métier de procureur (« Comment donc !
m'imposer silence ! à moi, procureur ! Savez-vous bien qu'il y
a cinquante ans que je parle, madame Argante ? », III, 6). Mais
c'est le dénouement qui peut fournir les rapprochements les
plus probants : Aimwell voulait assurer sa fortune en épousant
Dorinda ; il va y parvenir grâce à son ami Archer qui s'est fait
passer pour son valet ; mais, au moment où les jeux sont faits,
il s'aperçoit qu'« elle a gagné [s]on âme et l'a rendue honnête
comme la sienne » : il avoue donc son imposture à la jeune
femme : « Je ne suis que mensonge […] ; je ne suis que contre-
façon, mis à part ma passion » (« I'm all a lie […] ; I'm all coun-
terfeit, except my passion »). Et, comme Araminte, Dorinda
est définitivement conquise par la loyauté de son amant.
Archer peut alors lui tenir lieu de « père » pour la conduire à
l'autel : « Yes, yes, Madam, I'm to be your Father » — « Ouf !
Ma gloire m'accable : je mériterais bien d'appeler cette
femme-là ma bru. » Farquhar a bien pu inspirer à Marivaux
des mots qui n'appartiennent qu'à lui. C'est à peu près de la
même façon que Diderot a mis à profit, par jeu, le *Tristram
Shandy* de Sterne au début et à la fin de *Jacques le fataliste*.

UNE PIÈCE-SOMME

Ce que risqueraient de faire oublier de telles données, c'est
que *Les Fausses Confidences* s'insèrent dans l'ensemble de

1. « Histoire de Monsieur Dupuis et de Madame de Londé », éd. Frédéric Deloffre, Les Belles Lettres, 1959, t. II, p. 483-485.
2. Klincksieck, 1970, p. 200-204.

l'œuvre de Marivaux, tout en y occupant une place très particulière. Un détail amusant rattache cette pièce aux précédentes, puisque dans *Les Serments indiscrets* (IV, 10) Lucile, amoureuse, se risquait à envoyer sa suivante, Lisette, laisser entendre, le plus subtilement possible, à Damis qu'elle l'aimait : « Au reste, je ne vous indique rien de ce qui peut appuyer *cette fausse confidence* : vous êtes fille d'esprit [...] ; vous lisez dans les cœurs »... « Encore une surprise de l'amour ! », disaient volontiers les détracteurs du poète en parlant de ses nouvelles comédies ; ils l'ont dit effectivement lors de la création des *Fausses Confidences*, en pensant à ce qui arrive à l'héroïne principale. C'était faire fi, une fois de plus, de la variété et de l'originalité de ses différents systèmes dramatiques et refuser de voir que cette pièce est aussi un jeu de séduction, comme *La Fausse Suivante* ou *Le Triomphe de l'amour* et un jeu de libération, comme *L'École des mères* ou *L'Île de la raison*. Mais Marivaux semble s'être ingénié à y faire subir à ces formes un traitement paradoxal. En effet, de partout Araminte est obsédée par l'amour de Dorante, comme Phèdre peut l'être par l'image d'Hippolyte et, comme celle-ci lors du renvoi d'Œnone, elle finit par prendre Dubois, devenu son âme damnée, pour bouc émissaire. Quant à la scène de la lettre dictée, elle s'apparente aux moments les plus intenses des jeux de libération ; mais alors que la surprise y jouait toujours un rôle positif en permettant à des êtres longuement conditionnés, comme la petite Angélique dans *L'École des mères*, de laisser enfin éclater leur véritable personnalité, ici Araminte perd pour un temps tout visage et n'est plus que cruauté... Cependant le jeu de leurre auquel elle est livrée (pour la bonne cause !), comme l'épreuve qu'elle subit en y soumettant son partenaire, finissent par déboucher en effet sur une radieuse surprise de l'amour, quand elle regarde Dorante face à face et se libère en quelques mots de son entourage. Dernière « grande pièce » de Marivaux, *Les Fausses Confidences* représentent à la fois une forme de dépassement et une somme de ses principaux systèmes dramatiques.

NOTE SUR LA PRÉSENTE ÉDITION

Le texte que nous reproduisons est celui de l'édition originale des *Fausses Confidences*, publié par Prault père, en octobre
1738, qui n'a jamais ensuite été revu par le dramaturge. En
1758, dans les *Œuvres de théâtre de M. de Marivaux* (Paris,
N.B. Duchesne), il a cependant subi une cinquantaine de cor-
rections, visant à le normaliser, qu'on retrouve dans presque
toutes les éditions ultérieures.

Dans ce texte remanié par petites touches sont escamo-
tées les quelques incorrections que le dramaturge prête à
Arlequin (I, 1 : «nous discourerons», pour «nous discour-
rons»; III, 11 : «quelle excroquerie!», pour «quelle escroquerie!»); certaines des réactions d'Araminte perdent de
leur vivacité, en raison de la suppression de points d'exclama-
tion ou de leur transformation en points d'interrogation, et,
du fait d'un nouveau découpage des phrases, les propos de
M. Remy, quand il prend congé, deviennent moins incisifs
(II, 3 : «Serviteur, idiot, garde ta tendresse»; III, 8 : «Accommodez-vous, au reste. Je suis votre serviteur»). De-ci de-là, les
didascalies sont modifiées (II, 5 : ARLEQUIN *l'appelant dans
la coulisse*); mais surtout, dans différents cas, le changement
d'un seul mot entraîne des conséquences notables. Ainsi,
selon cette édition, dans la scène des «fausses confidences»
(I, 14), Dubois dit de son ancien maître : «Il n'y avait personne (et non : *plus personne*) au logis» et il ajoute que celui-ci
«ne troquerait pas» son poste d'intendant «contre la place
de l'Empereur» (au lieu : «*d'un empereur*»). Quittant Marton

après l'avoir vainement mise en garde contre la tentation de desservir sa maîtresse pour de l'argent (I, 11), Dorante se dit : « Je ne suis pas si fâché » (et non : « *plus si fâché* »). M. Remy avoue qu'à l'âge de son neveu, il « ne s'en tirerai[t] » (au lieu de « *s'en tirait* ») « pas mieux qu'on dit qu'il s'en tire » (III, 6).

Nous avons modernisé l'orthographe, tout en respectant la ponctuation d'origine, même dans quelques cas où elle pourrait surprendre un lecteur actuel, car elle correspond à celle des autres éditions originales de Marivaux : le rythme des phrases, le souffle et parfois même l'intonation de ses personnages en dépendent étroitement.

LES FAUSSES CONFIDENCES
À LA SCÈNE

AU XVIIIᵉ SIÈCLE

Comme personne ne songeait alors à faire la moindre remarque précise sur le jeu des acteurs, ni à parler de mise en scène, tout ce que nous connaissons de la création des *Fausses Confidences*, c'est leur distribution, exactement reconstituée par André Tissier[1] : aux côtés des acteurs-vedettes de la Comédie-Italienne : « Silvia » (Zanetta Roza Benozzi), Jean-Antoine Romagnesi et « Thomassin » (Tomasso Vicentini), l'Arlequin de la troupe, déjà atteint par la longue maladie qui devait l'emporter trente mois plus tard, figuraient respectivement dans les rôles de Dubois, du Comte, de Mme Argante, de M. Remy et de Marton : « Deshayes » (Jean-François de Hesse), engagé deux ans plus tôt pour jouer les valets, mais qui était aussi danseur et composait des ballets, de plus en plus appréciés ; Mario (Giuseppe Balletti, mari de Silvia) ; « Mlle Belmont » (Anne-Élisabeth Constantini, veuve de Romagnesi de Belmont) ; Antonio Sticotti, un jeune homme de vingt-cinq ans et « Babet » (Louise-Élisabeth Vicentini, deuxième fille de Thomassin) qui avait été choisie de préférence à sa sœur Catarina, peut-être précisément parce qu'elle n'avait pas vingt ans.

Grâce à la « notice » rédigée pour son propre usage par le marquis d'Argenson, nous avons du moins une idée de la façon dont la comédie devait être jouée quelques années plus

1. *« Les Fausses Confidences » de Marivaux. Analyse d'un « jeu » de l'amour*, S.E.D.E.S., 1976, p. 62-63.

tard : «On dit cette pièce de *Marivaux*, mais le style le dément
tant en bien qu'en mal. J'en ignore le succès dans la nouveauté ; *Silvia* y joue beaucoup et divinement en quelques
endroits ; *Arlequin* y fait tous les lazzi possibles. Le premier acte
est très long à la façon des pièces italiennes.» Ces indications,
probablement assez subjectives, semblent à peu près confir-
mées par les impressions de Desboulmiers : dans son *Histoire
anecdotique et raisonnée du Théâtre Italien* (1769) il évoque
le «fourbe habile» qu'est Dubois ; la «situation vraiment
comique» qui naît des «sentiments de reconnaissance» de
Marton envers M. Remy (II, 3) ; la «scène très vive et très plai-
sante» qui oppose celui-ci à Mme Argante (III, 5) ; mais surtout une Araminte extrêmement expressive : elle «prend de
l'humeur», puis «se radoucit fort» dans la scène des fausses
confidences (I, 14), laisse déjà voir son «trouble» lorsque
reparaît Dorante (I, 15) — «elle veut le conquérir, elle ne
veut plus ; elle lui ordonne et lui défend tour à tour d'examiner les papiers» ; plus tard, elle «sort pour cacher l'intérêt
qu'elle prend à [la] scène» (II, 2) où Dorante dit à M. Remy
qu'il a «le cœur pris», etc. Quant au jeune homme, lorsqu'elle lui dicte la lettre (II, 13), il ne «sait [...] ce qu'il fait,
et il paraît dans la plus vive agitation»... Dans le contexte
des années 1760 deux adjectifs permettent à Desboulmiers
d'exprimer son admiration particulière pour *Les Fausses Confidences* : celui que laissait attendre tout son résumé, mais aussi
un terme totalement dévalué aujourd'hui, qui était alors un
mot chargé d'un pouvoir quasi mythique : «La situation est
toujours ou comique ou *intéressante*[1]. »

Vers le même moment Charles Collé (1709-1783), qui n'a
pourtant pas craint d'insuffler dans son *Théâtre de société* une
verve endiablée, anticipait de plusieurs dizaines d'années
sur une conception «réaliste» et bourgeoise de la pièce qui
devait longtemps régner : dans une adaptation qu'il destinait
sans doute à la scène privée du duc d'Orléans, Araminte,
Mme Argante, Dorante et Marton deviennent Mme de Saint-
Sorlin, «jeune veuve», Mme d'Aigreville, Durval, Mlle Félicité,
«femme de chambre de Mme de Saint-Sorlin», et Arlequin :
«François, frotteur dans la maison, habillé de la livrée comme

1. T. IV, p. 284-286.

les autres valets de Mme de Saint-Sorlin ». Les remaniements qu'il prévoyait par ailleurs dans un exemplaire personnel sont très significatifs : « Le rôle de François ne doit pas être joué tout à fait en balourd comme celui d'Arlequin, mais comme un domestique qui n'est pas encore fait, et qui est naïf seulement. » Puis, à propos de la scène initiale entre Dorante et Dubois : « Au lieu de *faire ma fortune*, idée qui dégrade un peu le caractère de Dorante, et le rend par là moins intéressant, mettez *de servir la passion violente que j'ai pour Araminte*. » « Rayez *tournez un peu que je vous considère*. Expression trop familière dans la bouche d'un valet. Mettez *allons, Monsieur, que je vous considère* », etc.

AU XIXᵉ SIÈCLE

C'est en une quinzaine d'années que s'est joué le destin de la pièce au XIXᵉ siècle. Avant et après Thermidor[1] elle avait été accueillie avec le plus bel enthousiasme révolutionnaire. D'après les *Petites Affiches* du 17 juin 1793, le public s'était laissé « entraîner aux applaudissements, pour ainsi dire, à chaque mot », « justement » gagné par la « sublimité du jeu » de la citoyenne Contat, la « parfaite intelligence » de Fleury, « la finesse, l'esprit » de Dazincourt, « l'aplomb, la grâce » de la citoyenne Joly (Marton). Le 18 août 1794, le *Journal de Paris* notait à son tour que « le public dans l'ivresse » avait applaudi « pour ainsi dire tous les mots » : « toutes les âmes étaient électrisées[2] »... Jusqu'au retour des Comédiens-Français dans la salle rénovée du Théâtre de la République (octobre 1798), *Les Fausses Confidences* furent encore jouées, plus de trente fois, au théâtre de la rue Feydeau et par la troupe du Théâtre d'Émulation. Mais on était déjà loin de l'émotion unanime du soir de thermidor où Louise Contat s'était évanouie avant la fin du premier acte, et sous l'Empire les représentations de la pièce tombèrent peu à peu dans la routine. En 1804, à propos d'un programme où *Le Vieux Célibataire* précédait *Les Fausses Confidences*, le *Courrier des spectacles* réservait tous ses éloges à la comédie de Collin d'Harleville ; il observait que le public,

1. Voir p. 169.
2. Textes cités par A. Tissier, p. 372 et 374.

«vivement ému» par celle-ci, avait ensuite quitté la salle peu à peu, rebuté par tant de «détails spirituels, mais puérils, précieux et affectés[1]».

C'est pendant cette période qu'on s'est mis à parler du «subtil papillotage» de Marivaux, mais beaucoup plus souvent de son «tatillonnage» (Stendhal, *Journal*, 30 mars 1810), *Les Fausses Confidences*, sa pièce la plus souvent jouée, n'étant sauvée que par le «talent enchanteur» et les «grandes manières» de Mlle Contat. Dans leur *Histoire du Théâtre-Français*[2] (1802), Étienne et Martainville reprochaient à la «charmante Mlle Contat» d'«avoir donné de la consistance à un genre que le bon goût devrait à jamais bannir», car «Marivaux […] n'a que de l'esprit». En 1808, le sévère Geoffroy, titulaire du feuilleton du *Journal des débats*, fidèle, plus de quarante ans après, à ses impressions de jeune homme, continuait d'éprouver pour *Les Fausses Confidences* une tendresse particulière. Tout en estimant désormais que ce qu'on pouvait y trouver «de moins bon», c'était «la partie romanesque», il en résumait l'esprit en termes quasi stendhaliens : «Je ne jugeai point ; je m'abandonnai aveuglément aux sensations que j'éprouvais. Je ne vis dans la pièce qu'un amant qui subjugue, en dépit des convenances, le cœur d'une femme sensible ; c'est ordinairement le premier objet de l'ambition des jeunes gens nés sans ambition, et qui n'ont encore aucune connaissance du monde[3].» Crozet, ami de Stendhal, jugeait, lui, la pièce «plate, basse, ennuyeuse, même pour les sots» (*Journal*, 3 avril 1815[4]).

Dans son *Art théâtral* Samson (1793-1871) qui interpréta le rôle de Dubois pendant plusieurs dizaines d'années à partir de la Restauration, évoque le «jeu brillant», la «piquante manière» et la «verve de Louise Contat», qu'il oppose à la «pudeur» de Mlle Mars. Elle avait fait d'Araminte une coquette et une «conquérante» (Geoffroy[5]) ; Mlle Mars la rendit très touchante. Stendhal écrivit en sortant d'une représentation où elle lui avait fait découvrir enfin *Les Fausses Confi-*

1. A. Tissier, ouvrage cité, p. 375, n. 2.
2. T. II, p. 199.
3. *Cours de littérature dramatique*, t. III, p. 221-222.
4. M. Descotes, *Les Grands Rôles du théâtre de Marivaux*, p. 60.
5. Cité par M. Descotes, p. 176.

dences : « À la fin, j'avais le cœur gros ; un peu plus longtemps, je fondais en larmes[1] »… Trente-trois ans plus tard, quand elle prit sa retraite, à plus de soixante ans, en mars 1841, elle venait de jouer la pièce pour la deux cent quinzième fois. Désormais dépassées très largement par *Le Jeu de l'amour et du hasard* et *L'Épreuve* pour le nombre de représentations, *Les Fausses Confidences* restèrent marquées pendant un siècle, de génération en génération, par la personnalité de l'interprète principale : « l'éblouissante coquetterie » de Mme Arnould-Plessy (de 1855 à 1869) — « elle éblouissait dans sa robe de satin blanc », « avec ses yeux pétillants de reparties, sa bouche décochant le sourire et le trait[2] » ; puis le « laisser-aller » de Madeleine Brohan et « son air si bon enfant[3] » (1870-1877) ; un certain retour aux airs de « grande dame » avec l'Araminte de Berthe Cerny (1909-1930) que les critiques de la Belle Époque avaient pourtant évoquée comme une « femme douce, modeste, raisonnable, douée d'une grande sensibilité » ; enfin, « la fraîcheur », « le visage clair et la voix transparente[4] » de Madeleine Renaud qui reprit le rôle à la Comédie-Française en 1938[5], en y précédant une nouvelle théorie d'Aramintes moins maniérées que la plupart de leurs devancières, moins égocentriques, mieux accordées à leurs partenaires (Annie Ducaux en 1949, Éliane Bertrand en 1953, Micheline Boudet en 1969, Geneviève Casile en 1972, Claude Winter en 1977), puis des actrices de cinéma comme Brigitte Fossey ou Nathalie Baye heureusement dépourvues de l'air « mondain » que gardaient certaines d'entre elles dans nos années soixante-dix.

MISES EN SCÈNE CONTEMPORAINES

Les Fausses Confidences furent une des pièces fétiches de la Compagnie Renaud-Barrault au théâtre Marigny et dans ses

1. *Œuvres intimes*, Pléiade, t. I, p. 557.
2. Théophile Gautier, *Le Moniteur universel*, 1er octobre 1855.
3. Francisque Sarcey, *Revue théâtrale*, 7 juillet 1870.
4. Jacques Copeau, cité par M. Descotes, p. 182.
5. Voir le dossier de presse de l'Arsenal (R Supp 232) qui fournit cependant un article du *Petit Bleu* (9 mars 1938) particulièrement sévère.

tournées en Europe et en Amérique, d'octobre 1946 à la fin de 1953 (235 représentations; plus de 200 000 spectateurs), puis au Théâtre de France, de 1959 à 1962. Madeleine Renaud continua d'incarner une Araminte plutôt timide, tant soit peu effrayée par l'amour, dont on pouvait lire sur le visage les moindres sentiments, mais qui prenait de plus en plus d'assurance (presque trop vite, selon certains critiques), plongée dans une intrigue qui tenait désormais du mouvement perpétuel : pour rendre la pièce à la « tradition des Comédiens-Italiens », Jean-Louis Barrault prenait en effet dans la même sarabande personnages « français » et « italiens », tous vivement colorés : Mme Argante dans un éclatant ensemble rouge andrinople, M. Remy en noir, Arlequin dans son vêtement bariolé, Dubois presque tout en blanc, dans un costume de fantaisie que l'acteur garda dans *Les Fourberies de Scapin*. Interprété par Jean-Louis Barrault, Dubois devenait un meneur de jeu dansant, « sautillant, virevoltant », tout en gestes stylisés, en numéros de mime[1], comme un grand frère de Baptiste, héros du ballet-pantomime de Prévert qui complétait le spectacle. Brianchon avait conçu un décor léger et suggestif : une table, quelques sièges, un bouquet de fleurs roses sur un guéridon, des paravents blancs en guise de portes, un salon envahi de lumière, ouvert sur des feuillages vert tendre. *Les Fausses Confidences* devenaient ainsi une pièce printanière. Barrault ouvrait la voie à une série de mises en scène — *Le Triomphe de l'amour* et *L'Heureux Stratagème*, de Vilar (1956, 1960), *La seconde Surprise de l'amour*, de Planchon (1959), *L'Île de la raison*, de Michel Berto (1968), *La Dispute*, de Chéreau (1973), etc. — qui ont renouvelé chaque fois l'image de Marivaux, tout en représentant des événements dans l'histoire du théâtre contemporain. Son apport décisif et celui de son décorateur ont certainement été d'arracher une bonne fois le théâtre de Marivaux à l'atmosphère confinée des salons, pour l'ouvrir sur la nature, la poésie du monde, le rêve et le grand air[2].

À la Comédie-Française, où *Les Fausses Confidences* comptent depuis la fin du XVIIIᵉ siècle un peu plus de sept cents représentations (deux fois moins que *Le Jeu de l'amour et du hasard*),

1. Voir le dossier de presse de l'Arsenal R Supp 1920.
2. Un enregistrement (Decca) conserve le souvenir de cette interprétation.

il était devenu nécessaire de leur rendre leur fraîcheur ; or, parmi leurs plus belles représentations, figurent celles qui y ont été données, entre 1970 et 1980, dans les mises en scène de Jean Piat, puis de Michel Etcheverry (1977). Elles reposaient sur des distributions remarquablement homogènes, auxquelles il arrivait d'ailleurs de se recouper : Micheline Boudet et Claude Winter (Araminte), Paule Noëlle (Marton), Jacques Toja et Simon Eine (Dorante), Jean Piat et Richard Berry (Dubois), Jacques Eyser et Jean-François Rémi (M. Remy), Denise Gence (Mme Argante), François Chaumette (le Comte), Jean-Luc Moreau et Gérard Giroudon (Arlequin, devenu au Français Lubin). Dorante comme amant passionné et noble, héroïque dans la maîtrise qu'il exerce sur lui-même (Toja) ou secrètement mélancolique (Simon Eine). Dubois comme démiurge jouant surtout sur l'immobilité (Jean Piat) ou sur le mouvement (Richard Berry), sur l'assurance ou l'entrain, un imperceptible humour ou une verve endiablée. Et quel relief prenaient dans leurs certitudes et leur dignité offensée Mme Argante et M. Remy, solides comme des forces de la nature, couple ennemi incomparable ! Comment oublier la Mme Argante de Denise Gence, avec son jabot de dentelle, ses lèvres gourmandes et son souffle vengeur ? Grâce à la « réalisation » de Jean-Marie Coldefy, retransmise en 1971, 1980, 1987 et 1993, la télévision a pu conserver le souvenir de la mise en scène de Jean Piat. Depuis l'instant où Araminte, assise à sa petite table, quitte ses papiers pour demander à Marton : « Quel est donc cet homme qui vient de me saluer si gracieusement ? » (I, 6) jusqu'à celui où, adossée au mur, elle entend, hagarde, Dorante lui dire : « Un de vos fermiers est venu tantôt, Madame. — Un de mes fermiers !... » (III, 12), jamais peut-être le double registre favorisé par les apartés, mais aussi et surtout les entrées, les sorties, les déplacements, le groupement des personnages et l'utilisation des accessoires (le portrait ou la lettre) n'ont donné une telle intensité aux moments les plus dramatiques de la pièce. Témoins parmi d'autres, l'instant où tous les regards convergent sur la petite boîte qui contient le visage d'Araminte (II, 9), ou bien les longs moments (III, 8) où, sitôt lue et profanée la lettre de l'amant on voit sortir, l'un après l'autre, Dorante, M. Remy, Marton, le Comte et enfin Mme Argante, tandis qu'Araminte, debout au centre de la scène, s'enfonce délibérément dans une certaine solitude.

À propos du *Jeu de l'amour et du hasard* porté à l'écran par Marcel Bluwal, Morvan Lebesque écrivait en 1967 : « Des regards, des mots, et le cœur à nu. [...] M. Pierre Carlet de Chamblain de Marivaux était fait pour la télévision. » En jouant, moins subtilement sans doute que Bluwal, mais tout aussi efficacement, sur les possibilités de la caméra et en privilégiant la jeunesse, Roger Coggio et Daniel Moosman ont consacré aux *Fausses Confidences*, en 1984, un film parfaitement fidèle à la lettre et à l'esprit de la pièce, avec des acteurs heureux dans leur rôle — une Araminte généreuse et tendre (Brigitte Fossey), une touchante Marton (Fanny Cottençon), aux côtés d'un Dubois solide et ironique (Claude Brasseur), d'une Mme Argante aussi peu caricaturale que possible (Micheline Presle) —, dans des harmonies de couleurs claires, si belles que par instants elles faisaient presque oublier l'intrigue ou, comme lors de la sortie d'Araminte dans un sous-bois couvert de jacinthes roses, pouvaient même paraître un peu léchées.

Au théâtre la lecture de nos œuvres classiques est entrée depuis longtemps dans « l'ère du soupçon » : bien des metteurs en scène se sont efforcés, avec plus ou moins de bonheur, d'y faire valoir de nouvelles vertus, en les traitant sans révérence pour répondre à l'attente présumée du public du moment. C'est ainsi qu'en 1974, au Théâtre de la Ville, Serge Peyrat transposa l'action des *Fausses Confidences*, conçues comme un « jeu de l'amour, du désir et de l'argent », dans la bourgeoisie marchande du XIXe siècle. Geneviève Page y incarnait une Araminte vive, capricieuse, partagée entre les rires et les larmes, immédiatement conquise par Dorante, pâle jeune homme romantique aux cheveux longs. On la montrait aussi très occupée par l'exercice d'un métier (le négoce du drap...), tandis que les costumes ou les accessoires des membres de son entourage visaient à attirer le regard : l'aune de Dubois ; la blouse grise d'Arlequin, devenu magasinier ; la robe violette, criante de mauvais goût, de Mme Argante (Béatrice Bretty) ; la pelisse, le haut-de-forme, les rouflaquettes et le cigare du Comte, aristocrate fin de race (Michel de Ré). D'après Michel Cournot[1],

_____

1. *Le Monde*, 22 janvier 1974.

la pièce y perdait « ses contre-allées » : on s'y « amus[ait] bien, on [y] ri[ait] souvent. Comme devant une fausse pièce de boulevard qui, par on ne sait quel maquillage, aurait de la branche ».

Cinq ans plus tard, au Studio-Théâtre de Vitry et au Théâtre Gérard Philipe de Saint-Denis, la mise en scène de Jacques Lassalle, discrètement destinée à faire valoir des rapports de force, repose sur une lecture et une scénographie beaucoup plus complexes. Un décor d'un brun chaud, conçu par Yannis Kokkos à l'image des « fonds des toiles de Chardin, cette étendue colorée, vivante [...] qui n'existe que pour permettre aux êtres et aux choses de flotter dans l'espace de l'instant ». Le mur contre lequel se tiennent les conciliabules ou se groupent, instinctivement, les personnages de même condition sociale. La cloison transversale qui, partageant la scène, permet d'y marquer un espace social et un espace intime, tous deux faits pour être transgressés. Le vaste escalier d'Araminte, dont les premières marches deviennent un enjeu de conquête. Sa lourde rampe de bois, bien faite pour être effleurée, caressée, empoignée, saisie, dans la détresse, comme ultime point d'appui... Et puis quelques objets qui bientôt prenaient sens : lès bancs où s'installaient le Comte ou M. Remy, avant de venir jouer leur rôle ; le miroir où Dorante ne pouvait s'empêcher d'aller vérifier son pouvoir... Et des gestes extrêmement contrastés — gestes codés ou libres, gestes involontaires qui laissaient apparaître le non-dit des personnages, « le latent, l'enfoui, l'informulé », la « mémoire retrouvée, dans ses hésitations, ses replis, ses intermittences, ses silences et ses digressions »... Lassalle se référait ici à « cet art de la simplification, cet art de la cafetière sur fond bleu à la Chardin où l'objet scénique est peu à peu quintessencié ».

« Nouvelles surprises de l'amour ou variations sur l'art de parvenir ? » Certains des éléments les plus frappants de cette mise en scène inclinaient à croire au choix de cette seconde solution : la longue séquence muette du tout début où Dorante (Pierre Banderet) était immobilisé contre le mur de scène par les projecteurs, fixant le public et projetant une ombre menaçante ; la froideur de son jeu ; « l'action de maître » par laquelle il s'imposait à Arlequin : en lui pinçant la joue (tandis qu'au temps de sa splendeur, le Comte — Jean-

Claude Dreyfus —, en vertu sans doute du «droit du seigneur», caressait au passage Marton...) ; le montage sonore qui scandait les étapes de l'irrésistible ascension de l'arriviste et, par son crescendo, soulignait progressivement son triomphe; la façon dont Dubois lui-même (Maurice Garrel), curieusement présenté comme «une manière» d'intellectuel, «de Socrate recru d'antichambre[1]», était finalement évincé, «éliminé, à un moment historique bien précis», «bouc émissaire d'une histoire qui le dépasse[2]»; et jusqu'aux gestes tâtonnants de somnambule qui échappaient à une Araminte sculpturale et fragile (Emmanuèle Riva)...

En 1987, au Théâtre du Gymnase, à Marseille, dans une mise en scène de Gérard Lartigau et Patrick Bourgeois et dans un décor tiré d'un tableau de Lancret, Araminte, «assaillie par les conventions» sociales, finissait par «conquérir sa liberté[3]» en reconnaissant la *qualité* de Dorante; mais aucun personnage n'avait rien de caricatural : ni le Comte, lui aussi physiquement très séduisant, ni même Mme Argante, qui avait cru assurer le bonheur de sa fille. *Les Fausses Confidences* redevenaient, beaucoup plus nettement, une pièce d'amour.

En revanche, deux ans plus tard, avec la Compagnie de la Salamandre, Gildas Bourdet donne corps à une satire sociale très âpre, et même délibérément outrancière, tout en se livrant à une dénonciation subtile des illusions amoureuses. Sa mise en scène repose sur l'agencement de l'intrigue, présentée comme un mécanisme impitoyable, le jeu rapide, électrique des acteurs, le ballet de leurs entrées et sorties, mais d'abord sur une certaine organisation de l'espace scénique. «J'ai fait le pari qu'on pouvait jouer cette pièce sans faire appel au moindre accessoire, dans un espace abstrait, totalement nu, qui s'ouvre parfois sur un espace concret[4].» *L'autre espace*, c'est ici celui d'une belle demeure du XVIIIᵉ siècle — décor construit par Bourdet lui-même : boiseries, natures mortes et bouquets —, dont un système de panneaux peints coulissants permet de voir, à distance, le parc ou l'escalier qui mène à

1. Jacques Lassalle, *Cahiers du Studio-Théâtre*, nº 16, octobre 1979.
2. Patrice Pavis, *Marivaux à l'épreuve de la scène*, 1966, p. 316.
3. *Analyses et réflexions sur Marivaux*, «*Les Fausses Confidences*», Ellipses, 1987, p. 173.
4. Interview de Gildas Bourdet, *Le Monde*, 4 mai 1989.

l'appartement privé d'Araminte. Comme dans la tragédie classique, l'espace délimité où le metteur en scène a enfermé ses personnages, lieu théâtral par excellence, c'est celui où les retiennent leurs passions : mais des passions, des envies et des prétentions tant soit peu dérisoires, qu'ils s'imaginent (comme Mme Argante ou M. Remy) affirmer leur dignité et détenir un pouvoir, tirer d'un rang (comme le Comte) une rente de situation, ou bien même (comme Araminte et Dorante), vivre une grande histoire d'amour, manipulés et pris au piège comme ils le sont — puisque Dubois s'est avisé de faire de chacun d'eux, dans son for intérieur et l'un pour l'autre, par un troublant jeu de miroir, des figures romanesques. Et pourtant... des liens, fragiles, parfois s'établissaient, éclataient des instants d'émotion et des moments de vérité.

En 1993, après avoir fait valoir le charme et la personnalité, si souvent négligés, des *Amoureux de Molière* dans le montage qu'il leur a consacré, Christian Rist, avec la collaboration de Denis Podalydès et des acteurs du Studio classique, présente une mise en scène des *Fausses Confidences* dont l'apparente simplicité n'exclut en rien le raffinement. Un décor plutôt suggéré que tout à fait montré, fait surtout d'éléments immatériels : deux portes, quelques bancs, une écritoire ; mais des panneaux semi-transparents et des jeux d'ombre et de lumière soulignent les temps forts de l'action et dessinent sur une grande toile en fond de scène les boiseries de la demeure ou les arbres du jardin. De légers effets de mise en abyme ou de théâtralisation : la présentation initiale des personnages sur une galerie entourant la scène ; la ponctuation de leurs entrées par des accords de clavecin, dont Arlequin est tenté de reproduire le rythme ; les détails en trompe l'œil sur les robes des femmes, accordés au décor ; Dubois comme un metteur en scène, prenant peine au bon déroulement de son intrigue et mimant parfois le jeu de ses acteurs. Un Dubois plein d'humour et de malice (Didier Bezace) ; un Arlequin proche de la tradition de la *commedia dell'arte* (Denis Podalydès) ; une Mme Argante, un M. Remy et un Comte fortement typés ; et puis, au cœur d'une pièce conçue comme « une comédie du désir et des atermoiements du cœur », le Dorante élégant et noble de Jean-Yves Berteloot, la Marton naïve et impulsive,

rouée et innocente, de Cécile Brune, et l'Araminte toute
simple, mais tout en nuances de Nathalie Baye, qui découvre
son aventure avec un immense étonnement et la traverse avec
un calme courage, jusqu'au triomphe de l'amour. Après les
premières représentations l'actrice déclara dans un entretien
au *Nouvel Observateur* : « J'aime le rôle d'Araminte, les contra-
dictions de cette jeune veuve qui a le sentiment que rien ne
peut lui arriver, mais qui conserve un côté adolescent car elle
ignore tout de l'amour. »

Depuis une dizaine d'années *Les Fausses Confidences* ont
été assez souvent représentées à l'étranger : en 1989 et 1990 à
Naples, par deux compagnies différentes, dirigées par Giuseppe Patroni-Griffi et par Guglielmo Guidi ; en 1991 à Tübin-
gen, où les jeunes acteurs du « Groupe de théâtre français »
virent dans Araminte une femme qui « apprend à ne plus
avoir peur de ses sentiments » ; en 1993, au Théâtre du Parc,
de Bruxelles, dans une mise en scène de Gérald Marti qui pri-
vilégiait tout à la fois l'expérience douloureuse vécue par Marton et la solidarité qui la lie à Araminte ; puis, à Barcelone et
Washington, suivant la conception de Sergi Belbel, pour
lequel « ici le marivaudage est un jeu passionnant qui ne sert
qu'à retarder l'assouvissement d'un désir omniprésent[1] ».

En France, pour l'instant, ce n'est pas une des comédies de
Marivaux jouées le plus souvent ; huit ou dix au moins le sont
bien davantage : *La Double Inconstance, Le Jeu, La Fausse Suivante*, la seconde *Surprise, Le Triomphe de l'amour* ; et puis tant
de ces « petites pièces » souvent représentées avec ferveur par
de toutes jeunes troupes : *La Dispute, L'Île des esclaves, La Colonie, L'Épreuve, Le Legs, Les Acteurs de bonne foi…*

La reprise des *Fausses Confidences* à la Comédie-Française,
sous la direction de Jean-Pierre Miquel (octobre 1996), vient
pourtant de témoigner de la vigueur des questions qu'on peut
poser aujourd'hui à cette pièce et des ressources qui sont les
siennes. Tout en n'appartenant précisément à aucune époque
— 1730 ou 1930… —, les éléments du décor et plus encore les
costumes contribuent à créer une certaine atmosphère bourgeoise, à laquelle s'oppose la présence symbolique d'un arbre

---

1. *Revue Marivaux*, n° 4, 1994, p. 138-139.

très différent de celui qu'Antoine Vitez avait fait planter dans sa mise en scène du *Prince travesti* : un grand arbre souple « et ses feuilles sur un fond de ciel pur[1] ». Le metteur en scène joue subtilement des effets de contraste que pouvait lui fournir le jeu d'une troupe parfaitement homogène : jeu gris et jeu éclatant. Un M. Remy plutôt bonhomme (Michel Robin), tout à coup face à une Mme Argante déchaînée (Catherine Samie) ; un Dorante infiniment discret (Laurent d'Olce), parfois presque absent, comme pour se conformer aux prescriptions les plus paradoxales d'un Dubois toujours agissant (Gérard Giroudon) ; une Araminte vive et fière (Cécile Brune), capable d'« affirmer » peu à peu son « autonomie et sa liberté », dont le « parcours s'apparente [...] à l'itinéraire d'un personnage tragique » (Jean-Pierre Miquel). On rompt ainsi très fortement avec les traditions ou poncifs les plus fâcheux de jadis ou de naguère : « comédie héroïque », fortement ancrée dans le réel bourgeois, mais où personne ne s'avance masqué, « plus proche de nous que Corneille et Racine », *Les Fausses Confidences*, selon Jean-Pierre Miquel, « rend[e]nt exemplaires les mêmes capacités à sortir du vulgaire » que les plus hautes tragédies.

Voilà des décennies qu'on ne peut plus du tout partager l'idée que Claudel a donnée des *Fausses Confidences* dans son *Journal*, après avoir assisté à une représentation de gala « aux Français pour le 259[e] anniversaire de Marivaux » : « Pendant trois mortelles heures on mange de la poudre de riz » (4 février 1947).

POINTS DE VUE DE METTEURS EN SCÈNE

Jean-Louis Barrault

Sur le plan particulier du théâtre, il faut considérer deux Marivaux :

Celui qui écrivit pour les Comédiens italiens et en particulier pour la célèbre actrice Silvia, et celui qui écrivit pour les Comédiens français, notamment Adrienne Lecouvreur. Le

1. Michel Cournot, *Le Monde* du 19 octobre 1996.

premier garde l'odeur des tréteaux, le mouvement des sauteurs, les séductions du masque. À ce Marivaux appartiennent : *Arlequin poli par l'amour*, *Le Jeu de l'amour et du hasard* et surtout *La Double Inconstance*.

Le second est en quelque sorte plus bourgeois, mais plus parisien aussi, plus aigu dans ce raffinement de joute amoureuse. Une des pièces les plus réjouissantes de ce deuxième genre est peut-être *La Seconde Surprise de l'amour*.

La pièce *Les Fausses Confidences* qui fut écrite pour les Comédiens italiens pourrait se rattacher aux deux genres, aussi fut-elle, au XIXᵉ siècle et jusqu'à maintenant, tirée vers le genre comédie française parce que sans doute apparaît le thème bourgeois, mais en fait sa présentation doit obéir de par la volonté de l'auteur aux rythmes de comédie italienne. C'est, en tout cas, à cette discipline que nous avons tâché de nous plier lorsque nous présentâmes *Les Fausses Confidences* en octobre 1946.

Les gastronomes du monde entier savent que la cuisine française est bonne parce qu'on la fait « à feu doux », ainsi, tout le fumet reste dans le plat.

Il en est de même de Marivaux. Marivaux c'est de la cuisson « à feu doux ».

(*Cahiers Renaud-Barrault*, nº 28, janvier 1960, p. 9-10.)

Jacques Lassalle

Réfléchir quelque chose de ce monde où nous vivons reste l'enjeu de notre théâtre. Aujourd'hui comme hier. Pour nous comme pour Marivaux. Encore faut-il changer de regard, jouer de la distance et de la proximité, du particulier et du général, de la reconnaissance et de la surprise. Pour dire le plus montrer le moins, choisir le hors-champ, le banal, l'insignifiant, le fragmentaire, l'image suspendue, la voix blanche, presque le silence. Ne peut-on rêver ici d'un théâtre sans emphase ni arrogance, sans frénésie spectaculaire, d'un théâtre, pourrait-on dire, convivial et discret, dans la lumière toujours un peu tremblée d'une première fois.

(*Cahiers du Studio-Théâtre*, nº 16, octobre 1979, p. 3.)

La couleur nocturne, onirique, l'indécis sont la plus-value de la représentation théâtrale par rapport à une analyse du texte. Le réalisme de Marivaux est plus vrai que la vraisemblance. Se garder du naturalisme, préserver une distance (le paroxysme dans le pathos, une ampleur).

> («Note aux acteurs», *Rouge et noir*, revue
> de la Maison de la culture de Grenoble,
> novembre 1987, p. 10.)

Patrick Bourgeois

Il y avait à vaincre cet obstacle, linguistique et psychologique : replacer la sensibilité des acteurs dans un ordre syntaxique auprès duquel nos ressources verbales spontanées paraissent pauvres. Retrouver, phrase après phrase, un sens premier, une vérité intérieure : en bref, livrer combat contre le marivaudage dans ce qu'il a d'artificiel. On s'apercevait alors que les mots de notre auteur sont les paravents d'une force de sentiment extraordinaire, impudique, érotique... [...] Un «fil de chair» parcourt *Les Fausses Confidences* : nous avons voulu le rendre sensible et c'est ici que nous nous sommes heurtés, paradoxalement, à la pudeur de comédiens qui ne craignent pas d'habitude de se mettre à nu. À la faveur des troubles, des blocages que l'apprentissage du texte a suscités, nous nous sommes rendu compte que Marivaux mêle presque toujours plusieurs plans de sentiments ou d'émois dans les répliques et qu'un langage aussi «poli», aussi châtié, ne cesse jamais pourtant d'accorder la parole au désir cru, à l'amour insoumis.

> (Entretien avec A. Ughetto ; *Analyses et réflexions sur
> Marivaux. «Les Fausses Confidences»*, 1987, p. 173.)

Gildas Bourdet

Comment se fabrique ce théâtre perpétuellement sur le fil, toujours contradictoire ? Une chose n'est jamais vraie chez Marivaux, elle est vraie et fausse. Dans cette tension, le texte existe. Dès que l'on affirme trop fort un sens, il cesse d'en avoir. Si l'on monte une scène légèrement, il faut laisser comprendre que la même scène pourrait être grave. Le théâtre de Marivaux n'est jamais en repos, c'est un art insaisissable qui passe par les acteurs.

(Interview au *Monde*, 4 mai 1989.)

REPÈRES BIBLIOGRAPHIQUES

I. ÉDITIONS

Marivaux, *Théâtre complet*, éd. par Frédéric Deloffre, Classiques Garnier, 1968, 2 volumes. Nouvelle édition revue et mise à jour avec la collaboration de Françoise Rubellin, Classiques Garnier (Bordas), 2 volumes, 1989-1992.

Marivaux, *Théâtre complet*, éd. par Henri Coulet et Michel Gilot, Bibliothèque de la Pléiade, Gallimard, 2 volumes, 1993-1994.

Les Fausses Confidences edited by H.T. Mason, Oxford University Press, 1964.

II. ÉTUDES SUR L'ENSEMBLE DE L'ŒUVRE DE MARIVAUX

ARLAND, Marcel, *Marivaux*, Gallimard, 1950.

COULET, Henri, et GILOT, Michel, *Marivaux. Un humanisme expérimental*, Larousse, 1973.

DELOFFRE, Frédéric, *Une préciosité nouvelle. Marivaux et le marivaudage*, A. Colin, 1955. Nouvelle édition en 1967 (Slatkine Reprints, 1993).

GREENE, Edward J.H., *Marivaux*, University of Toronto Press, 1965.

HAAC, Oscar A., *Marivaux*, New York, Twayne Publishers, 1973.

LAGRAVE, Henri, *Marivaux et sa fortune littéraire*, Saint-Médard-en-Jalles, Ducros, 1970.

MIETHING, Christoph, *Marivaux*, Darmstadt, Wissenschaftliche Buchgesellschaft, 1979.

ROY, Claude, *Lire Marivaux*, La Baconnière, Le Seuil, 1947.

TRAPNELL, William, *Eavesdropping in Marivaux*, Genève, Droz, 1987.

Cahiers Renaud-Barrault, nº 28, janvier 1960.

Visages de Marivaux, Romance Studies, nº 15, Winter 1989 (Colloque de Lampeter, mars 1988).

Marivaux d'hier, Marivaux d'aujourd'hui, Éditions du C.N.R.S., 1991 (Colloque de Lyon et de Riom, avril et octobre 1988).

Vérités à la Marivaux, Études littéraires, volume 24, nº 1, Québec, Université Laval, été 1991.

La *Revue Marivaux* (cinq numéros parus à ce jour depuis 1990) publie régulièrement des études, des comptes rendus, une rubrique bibliographique et une chronique théâtrale.

III. HISTOIRE DU THÉÂTRE

ARGENSON, marquis d', « Notices sur les œuvres de théâtre » publiées par H. Lagrave, *Studies on Voltaire*, volumes 42 et 43, 1966.

BRENNER, Clarence D., *The Théâtre Italien, its repertory 1716-1793*, Berkeley, University of California Press, 1961.

DESBOULMIERS, J.-A. Julien, dit, *Histoire anecdotique et raisonnée du Théâtre Italien*, Lacombe, 1769, 7 volumes.

LAGRAVE, Henri, *Le Théâtre et le public à Paris de 1715 à 1750*, Klincksieck, 1972.

ROUGEMONT, Martine de, *La Vie théâtrale en France au XVIIIᵉ siècle*, Honoré Champion, 1988.

IV. OUVRAGES SUR LE THÉÂTRE DE MARIVAUX

BONHÔTE, Nicolas, *Marivaux ou les machines de l'opéra*, Lausanne, L'Âge d'homme, 1974.

BRADY, Valentini Papadopoulou, *Love in the theatre of Marivaux*, Genève, Droz, 1970.

DABBAH EL-JAMAL, Choukri, *Le Vocabulaire du sentiment dans le théâtre de Marivaux*, Honoré Champion, 1995.

DEGUY, Michel, *La Machine matrimoniale ou Marivaux*, Gallimard, 1981.

DESCOTES, Maurice, *Les Grands Rôles du théâtre de Marivaux*, P.U.F., 1972.

DESVIGNES-PARENT, Lucette, *Marivaux et l'Angleterre*, Klincksieck, 1970.

LACANT, Jacques, *Le Théâtre de Marivaux en Allemagne. Reflets de son théâtre dans le miroir allemand*, Klincksieck, 1975.

PAVIS, Patrice, *Marivaux à l'épreuve de la scène*, Publications de la Sorbonne, 1986 (le chapitre V, p. 281 à 320, est consacré aux *Fausses Confidences*).

POE, George, *The Rococo and Eighteenth-Century French Literature. A Study through Marivaux's Theater*, New York, Peter Lang, 1987.

ROBINSON, Philip, « Marivaux's poetic theatre of love. Some considerations of "genre" », *Studies on Voltaire*, volume 199, 1981.

Marivaux e il teatro Italiano, a cura di Mario Matucci (Colloque de Cortona, septembre 1990), Ospedaletto, Pacini Editore, 1992.

V. SUR *LES FAUSSES CONFIDENCES*

Ouvrages

DÉMORIS, René, *Lectures de* Les Fausses Confidences *de Marivaux. L'être et le paraître*, Belin, 1987.

TISSIER, André, Les Fausses Confidences *de Marivaux. Analyse d'un « jeu » de l'amour*, S.E.D.E.S., 1976.

Analyses et réflexions sur Marivaux. Les Fausses Confidences. L'être et le paraître, Éditions Marketing, Ellipses, 1987, ouvrage collectif.

Articles

BORIAUD, Jean-Yves, « Les jeux de l'être et du paraître dans *Les Fausses Confidences*», *L'Information littéraire,* janvier-février 1988, p. 16-19.

CLAISSE, Monique, « Approches du discours — Formes et variations dans *Les Fausses Confidences*», *Revue Marivaux,* n° 1, 1990, p. 17-25.

DÉDEYAN, Charles, « Vérité et réalité dans *Les Fausses Confidences*», Mélanges offerts à Daniel Mornet, 1951, p. 119-132.

DONOHE, Joseph I., « Unmasking of innocence. Ambiguity in *Les Fausses Confidences*», *Degré second,* Blacksburg, n° 2, juin 1978, p. 41-65.

GILOT, Michel, « Du *Jeu de l'amour et du hasard* aux *Fausses Confidences*», *Vérités à la Marivaux,* p. 9-18.

HOFFMANN, Paul, « De l'amour dans *Les Fausses Confidences* de Marivaux », *Travaux de linguistique et de littérature,* Université de Strasbourg, n° XXV, fascicule 2, 1987, p. 93-105.

HUBERT, Judd D., « *Les Fausses Confidences* et l'intendant de qualité [Saint-Jorry, *Histoires galantes nouvelles et véritables*] », Kentucky Romance Quarterly, 2, 1973, p. 153-161.

MIETHING, Christoph, « Le problème Marivaux. Le faux dans *Les Fausses Confidences*», *Vérités à la Marivaux,* p. 81-95.

PAVIS, Patrice, « L'espace des *Fausses Confidences* et les fausses confidences de l'espace », *Organon,* Presses de l'Université de Lyon, 1980 ; repris dans *Voix et images de la scène. Essais de sémiologie théâtrale,* Presses Universitaires de Lille, 1982 et 1985, chap. XIII, p. 197-220.

PÉROL, Lucette, « L'image du bourgeois au théâtre entre 1709 et 1775 », *Études sur le XVIIIᵉ siècle,* Université de Clermont II (« Textes et documents » de la Société française d'étude du XVIIIᵉ siècle), 1979, p. 121-134.

SCHÉRER, Jacques, « Analyse et mécanisme des *Fausses Confidences*», *Cahiers Renaud-Barrault,* n° 28, janvier 1960, p. 11-19.

TROTT, David, « Marivaux et la vie théâtrale de 1730 à 1737 », *Vérités à la Marivaux,* p. 19-29.

VI. SUR LES MISES EN SCÈNE
DES *FAUSSES CONFIDENCES*

Outre les ouvrages précédemment cités d'André Tissier, de Maurice Descotes et de Patrice Pavis ainsi que les *Cahiers Renaud-Barrault* (nº 28, janvier 1960), on pourra consulter :

Cahiers du Studio-Théâtre, Vitry, nº 16, octobre 1979 : articles de Jacques Lassalle et de Bernard Dort : « Le tourniquet de Marivaux ».

« Note aux acteurs » par Jacques Lassalle, *Rouge et noir, Revue de la Maison de la culture de Grenoble*, novembre 1987.

Le Monde, 4 mai 1989, entretien avec Gildas Bourdet.

Le Monde, 15 novembre 1989, article d'Odile Quirot sur la mise en scène de Gildas Bourdet.

Présentation par Jean-Pierre Miquel de sa mise en scène à la Comédie-Française, dans le programme du spectacle, octobre 1996.

Sur de récentes mises en scène des *Fausses Confidences*, voir la *Revue Marivaux* nº 1, p. 125-128 et 130 ; nº 2, p. 70, 134-141, 144, 145 ; nº 4, p. 137-142 et 206 ; nº 5, p. 129 et 173.

Voir aussi les dossiers de presse de la Bibliothèque de l'Arsenal : R supp 232 ; R supp 673 ; R supp 1920 ; R supp 6248[1].

1. J'adresse tous mes remerciements à Nathalie Froloff pour son apport, notamment en ce qui concerne ces dossiers de presse.

NOTES

Les indications portant sur des expressions proviennent, sauf mention contraire, du *Dictionnaire de l'Académie*, édition de 1740. De même, dans le lexique, pour les mots dont le sens au XVIIIᵉ siècle diffère du sens moderne.

Page 30.

1. Procureur : c'est-à-dire avoué.

2. Marivaux donne à cette maison une importance unique dans le théâtre du temps. Nous sommes à Paris, dans un riche hôtel particulier où, mis à part Marton, Dubois et Arlequin, servent plusieurs domestiques (I, 8; III, 3) et dont plusieurs « appartements » sont libres (I, 7). Le rez-de-chaussée comporte une galerie (III, 9) et certainement une remise (I, 2). La « salle » où va se dérouler l'action donne sur une terrasse (I, 5 et 6), du côté du parc où Araminte aime à se promener (II, 4) et qui permettra à Dubois de se concerter avec Dorante (II, 17).

Page 31.

1. Le garçon-joaillier, appelé par Arlequin (II, 7), pénétrera plus tard, comme par effraction, dans cette salle de séjour où Dorante est accueilli si aimablement; mais c'est dans l'anti-chambre (III, 6), ou « entrée de la salle », qu'Araminte ira trouver sa marchande d'étoffes (I, 8) et fera attendre « l'homme d'affaires » envoyé par le Comte (III, 7).

2. Ne vous dérangez pas pour moi.

Page 33.
1. *Faire ma fortune.* Expression ambiguë que le Comte reprendra dans une de ses dernières répliques en l'appliquant effectivement à Dorante ; mais elle signifie d'abord ici : *assurer mon succès.*

Page 34.
1. Le jeu de mots se fonde sur la réputation légendaire des mines d'or du Pérou (on disait encore : « C'est un Pérou » pour désigner des ressources inépuisables).

Page 35.
1. Soixante livres de rente contre cinquante mille… ; soit à peu près cinq mille de nos francs contre une somme de l'ordre de cinq millions.
2. Dubois se frappe le front, siège de son génie de l'intrigue. Il aura un geste comparable dans la scène XIV de l'acte I pour évoquer l'état d'égarement de Dorante : « Son défaut, c'est là. »

Page 36.
1. Dans la scène d'ouverture du *Prince travesti* Hortense disait, en plaisantant : « Oh, Madame, il faut que l'amour parle et qu'il répète toujours, encore cela ne parle-t-il pas assez. »

Page 37.
1. Serviteur au collatéral : c'est-à-dire : bien le bonjour (pour mon héritage) au collatéral (parent hors de la ligne directe).

Page 39.
1. M. Remy ne craint pas plus que Dubois de se livrer à de « fausses confidences » dont on percevra toute l'importance à l'approche du dénouement, quand Marton dira de Dorante : « Il m'a tout dit. Il ne m'avait jamais vue » (III, 10).

Page 44.
1. Comme Marivaux lui-même qui, après avoir été reçu à la licence en droit, se déclarait en 1722 « avocat » au Parlement de Paris.
2. Édition de 1758 : *dans la suite.*

Page 46.

1. Collé proposait de supprimer cette «balourdise» par : «Est-ce que je ne serai plus à Madame? Est-ce que Madame me renvoie?»...

Page 49.

1. C'est-à-dire : pour le reste de mes gages, quand vous voudrez.

2. Le point-virgule qui suit marque une pause expressive de la voix.

Page 52.

1. La beauté de l'expression comble d'aise Mme Argante (d'après l'Académie, on disait couramment : «aller aux grands desseins»; dans *Les Égarements du cœur et de l'esprit*, de Claude Crébillon, 1736-1738 (éd. Folio, 1977, p. 249), il s'agit d'«aller au grand»).

Page 54.

1. Cette femme si «brusque» qui tient un peu de Mme Pernelle signe ici sa sortie avec une certaine verve.

Page 55.

1. Mille écus : plus de 200 000 francs actuels.

Page 58.

1. Cette conjonction, supprimée à partir de 1758, reprend *et voilà pourquoi.*

Page 61.

1. Bonhomme : Dubois prend un ton presque affectueux pour prononcer un mot qui deviendra très péjoratif dans la bouche de Mme Argante (III, 6; cf. p. 136, n. 1).

2. Dans l'édition originale ce verbe est suivi par une virgule qui marque peut-être la stupéfaction d'Araminte.

Page 62.

1. D'après l'Académie, on disait «figurément et familièrement *une cervelle*», «*une tête*», «*un esprit bien timbré, mal timbré*» pour désigner «une personne de bon sens, ou un écervelé, un fou». La forme abrégée, aujourd'hui d'usage, prend ici une très forte portée.

2. Les points de suspension et l'usage de ce terme, employé particulièrement pour désigner les caprices des libertins, fixent le ton de la phrase, discrètement, mais profondément désabusé.

Page 64.
1. À l'Opéra, haut lieu aristocratique, le vendredi était un jour mondain par excellence.
2. L'escalier par lequel on montait aux loges. On y accédait par le fameux « cul-de-sac » de l'Opéra, passage étroit et obscur qui donnait sur la rue Saint-Honoré (voir Henri Lagrave, *Le Théâtre et le public à Paris de 1715 à 1750*, Klincksieck, 1972, p. 85).
3. Extasié : mot très rare alors, dont le sens était encore plus fort que celui d'*enchanté*, employé un peu plus haut. Dubois s'amuse à l'imager naïvement tout de suite après.
4. « On dit d'un homme qui est devenu imbécile ou hébété qu'*Il n'y a plus personne au logis*. »

Page 65.
1. C'est-à-dire une heure et demie avant le début des spectacles à la Comédie-Française.

Page 66.
1. L'aventure de Dorante avait commencé en plein hiver, mais cette rencontre aux Tuileries date certainement du printemps. Comme Dorante est au service d'Araminte depuis « deux mois » (II, 12), nous sommes maintenant vers le début de l'été. — Marivaux semble s'amuser ici à broder en quelques mots sur un épisode fameux de la première partie des *Égarements du cœur et de l'esprit* : Meilcour retrouvait sa bien-aimée, perdue depuis trois jours, aux Tuileries, où il était allé, lui aussi traîner sa mélancolie… Elle revenait d'un séjour à la campagne.

Page 70.
1. L'émoi qu'Araminte laisse entrevoir dans cette réplique anticipe sur l'intense émotion du moment proche du dénouement, où Dorante viendra lui « rendre compte de [ces] papiers » et lui remettre de l'argent : « Oui… je le recevrai… vous me le donnerez » (III, 12).

Page 72.

1. Cette « confidence », destinée à introduire le soupçon dans l'esprit de Marton, constitue aussi une des variations sur le regard que Dorante pose sur Araminte, inaugurées par Dubois auprès de celle-ci, qui scandent toute l'intrigue.

Page 77.

1. Transposition d'une formule courante alors : « on di[sait] *Prendre bien ou mal une affaire* pour dire : lui donner un bon ou un mauvais tour, la conduire bien ou mal ».

2. Ces revenus de plus d'un million de francs actuels ont assez frappé M. Remy pour qu'il les garde longtemps sur le cœur (voir III, 8).

Page 78.

1. L'œuvre même qui a assuré le succès de cette expression n'était pas tout à fait oubliée : *Il Pastor fido* de Guarini (1590) venait encore d'inspirer à l'abbé Pellegrin une pastorale dramatique portant le même titre et à Antoine Pecquet une autre adaptation en cinq actes et en prose (1732). Voir André Tissier, *Les Fausses Confidences de Marivaux*, p. 136, n. 24.

Page 80.

1. « On appel[ait] à Paris *Petites Maisons* l'Hôpital où l'on enferm[ait] », dans des cellules, « ceux qui [avaient] l'esprit aliéné. »

2. « On dit qu'*Un homme a dix mille livres de rente bien venant*, pour dire que son revenu consiste en dix mille livres de rente, dont il est payé sûrement et régulièrement. »

Page 88.

1. À partir de l'édition de 1758, ce tour parlé, sans doute voulu par Marivaux, est remplacé par *s'il*.

Page 91.

1. Mme Argante se réfère encore à une vieille tradition aristocratique, devenue profondément désuète depuis une vingtaine d'années, suivant laquelle la jalousie était un sentiment fort bien porté.

Page 92.

1. « *Huppé*. Il se dit figurément et dans le style familier

d'une personne apparente et considérable. » Le terme n'avait rien de péjoratif, mais une revendication sociale très forte s'exprime dans ce cri du cœur.

2. « On dit absolument *avoir des sentiments*, pour dire "n'avoir que des sentiments nobles et choisis, et se piquer de les avoir". »

Page 99.

1. L'expression *un homme de quelque chose* s'oppose directement à celle de *gens de rien*, qui venait à la bouche d'Araminte pour désigner « une infinité » de parvenus (ou de privilégiés...).

Page 101.

1. *Tout* est certainement employé ici comme adverbe ; mais, suivant un usage ancien, Marivaux le fait varier en genre et en nombre devant un adjectif.

Page 103.

1. Par cette nouvelle « fausse confidence », décisive, Dubois rend présente et pathétique la « passion » de Dorante.

Page 105.

1. Le valet s'approprie avec superbe (et un certain humour) l'ordre homicide de Roxane dans *Bajazet* (V, 5).

Page 106.

1. L'édition originale porte : *ni désintéressement.*

Page 107.

1. « *Événement.* L'issue, le succès de quelque chose. »

Page 111.

1. L'édition originale comporte ici un point-virgule qui marque probablement un moment d'hésitation.

2. Marton joue son va-tout, décidément incorrigible... Mais il fallait sans doute cette intervention pour que Dorante fût enfin forcé aux aveux.

Page 112.

1. Volontairement ou non, le jeune homme joue quelque peu sur le sens des mots : nullement concerné par les illusions de Marton, il n'est pour rien non plus dans toute l'affaire.

2. Au début de l'action (I, 7) Dorante n'invoquait que
« l'*honneur* de servir une dame » comme Araminte.

Page 116.
1. Comme le remarque William Trapnell (*Eavesdropping in
Marivaux*, Droz, 1987, p. 76), Dubois contrôle de bout en bout
l'action de la pièce : comme on l'apprendra au début de
l'acte III, rôdant dans les parages, il avait réglé ce retour à la
seconde.
2. Marivaux avait exploité de telles situations dans d'autres
pièces, tout particulièrement dans *Le Jeu de l'amour et du hasard*
(II, 9), mais cette réaction montre assez avec quelle intensité
Araminte vit le sentiment d'avoir été surprise en flagrant délit.

Page 117.
1. À la fin de la scène précédente l'aparté d'Araminte semblait signifier qu'elle était encore assez loin de se sentir amoureuse. Comme le montre ce mensonge, en quelques instants
s'est joué en elle quelque chose dont elle n'a pas parfaitement
conscience.

Page 118.
1. Dans ce passage, dont la saveur naît d'un puissant mouvement d'accélération, pourrait passer comme une malicieuse
réminiscence du *Cid* (II, 2) : « Ôte-moi d'un doute. »

Page 119.
1. Rue du Figuier : cette petite rue du quartier Saint-Paul
(4e arrondissement) subsiste encore, entre la rue de l'Hôtel-
de-Ville et la rue Charlemagne.

Page 120.
1. Je lui : je le lui (haplologie).
2. Point de quartier : en termes de guerre, l'expression s'em-
ployait à propos des prisonniers auxquels on refusait de faire
grâce et qu'on passait au fil de l'épée. Les mots qui suivent
évoqueraient plutôt la chasse à courre.

Page 121.
1. Dans les éditions Prault père de 1738 et 1752 : *ren-
voyera*.

2. Dans *La Vie de Marianne* (V[e] partie, éd. Folio, p. 329) Marivaux attribue un tour comparable à Mme Dutour, marchande-lingère : « Je lui défie d'avoir mieux, quand elle serait duchesse. »

Page 123.

1. C'est-à-dire que Dubois recevra une bonne récompense.

Page 124.

1. Avec un air de mystère Dubois joue sur les deux sens différents du verbe *perdre* employé négativement (le diable en tire parti, et moi aussi car j'y vois clair).

Page 126.

1. Dans l'adaptation de Collé ces mots deviennent : « C'est que le brave homme que je sers par l'ordonnance de Madame… »

Page 128.

1. Le Comte garde une forte impression du « Si je disais un mot » que Dubois avait feint de laisser échapper lors de sa fausse querelle avec Arlequin (II, 10).

Page 129.

1. Malgré Vaugelas et les grammairiens qui l'ont suivi, Marivaux, suivant l'ancien usage, met le plus souvent au féminin le pronom renvoyant à un nom désignant une qualité, lorsqu'il s'agit d'une femme (cf. III, 10 : « J'étais votre ennemie, et je ne la suis plus »).

Page 132.

1. Le mépris de Mme Argante éclate dans un mot qui en lui-même n'avait rien de péjoratif, puisque, suivant l'Académie, *praticien* désignait : « Celui qui entend l'ordre et la manière de procéder en justice. *Ce Procureur est habile Praticien.* »

2. Marivaux avait écrit en 1713 dans le premier tome de *Pharsamon*, publié à Paris deux mois avant la création des *Fausses Confidences* : « Insolente, […] si je n'avais du respect pour ma maîtresse, je vous apprendrais à parler. "Hélas ! péronnelle, reprit la vieille, il y a soixante ans que je parle, et il y en a dix-huit que je sais que vous êtes une petite bête" »

(*Œuvres de jeunesse*, éd. F. Deloffre, Bibliothèque de la Pléiade, 1972, p. 418-419).

Page 136.

1. «On di[sait] dans le discours familier *Bon homme, bonne femme,* pour signifier un homme et une femme qui sont déjà dans un âge avancé»; mais, suivant l'abbé Féraud (*Dictionnaire critique de la langue française,* 1788), ce mot signifiait souvent «un homme de peu d'esprit». Aujourd'hui Mme Argante aurait pu dire, à peu près : «Laissons là ce vieux.»

Page 137.

1. Cette question ironique d'Araminte peut rappeler les propos, plus naïfs, de Silvia dans la scène d'ouverture de *La Double Inconstance* : «Si le Prince est si tendre, ce n'est pas ma faute, je n'ai pas été le chercher; pourquoi m'a-t-il vue?»

Page 138.

1. Cette déclaration marque une étape capitale dans l'affirmation de l'indépendance d'Araminte.

Page 141.

1. Dans son désespoir amoureux le rédacteur de cette lettre anticipe le parti que prendra Saint-Preux, après le mariage de Julie, de s'embarquer dans la flotte de l'amiral Anson, à l'automne de 1740, pour son voyage autour du monde (*La Nouvelle Héloïse,* III⁰ partie, lettres XXV-XXVI).

Page 146.

1. Les reproches d'Araminte envers son «méchant valet» suivent le même cours que ceux que Phèdre destinait à Œnone dans la pièce de Racine :

> *J'évitais Hippolyte, et tu me l'as fait voir.*
> *De quoi te chargeais-tu? Pourquoi ta bouche impie*
> *A-t-elle en l'accusant osé noircir sa vie? (IV, 6).*

2. La violence dont la jeune femme fait preuve traduit toute l'horreur que lui fait éprouver désormais l'immixtion de Dubois dans son histoire.

3. Au moment de l'expulsion de Dubois l'action est si ten-

due que le dramaturge aurait pu escamoter Marton ; il a tenu, au contraire, à la réconcilier avec sa maîtresse, dans une scène qui, sous une apparence d'extrême simplicité, est sans doute une des plus complexes et des plus touchantes de son théâtre. Mais l'atmosphère d'apaisement ému qu'elle instaure en quelques mots joue aussi un rôle catalyseur dans l'histoire de l'amour d'Araminte.

Page 150.
1. Ultime « fausse confidence », faite cette fois avec une entière bonne foi : l'affection d'Arlequin pour Dorante est si vive !

Page 152.
1. Expression affaiblie à partir de 1758 : *De tout le temps de ma vie.*

Page 154.
1. La forme que prend cet aveu distingue assez nettement Araminte de la plupart des héroïnes du théâtre de Marivaux. La Marquise de la seconde *Surprise de l'amour*, la Lucile des *Serments indiscrets* et la Comtesse du *Legs* se contentaient d'acquiescer à l'aveu de leur soupirant : « Je rougis, Chevalier, c'est vous répondre » (III, 15) ; « Hum ! si elle a soupçonné que vous m'aimiez, je suis sûre qu'elle se sera doutée que j'y suis sensible » (V, 7) ; « Ah ! ce que je pense ; que je le veux bien, Monsieur » (sc. 24).
2. Cette expression, si fréquente dans la bouche des personnages de Marivaux, intervenait d'ordinaire nettement plus tôt et constituait en général un moyen d'éviter de voir clair en eux-mêmes.
3. Notation importante : loyauté et *tendresse* vont ici de pair. (À partir de 1758 : *et dit tendrement.*)

Page 157.
1. Pendant un siècle et demi ces deux dernières répliques ont été supprimées à la représentation : on ne supportait pas l'humour ni le naturalisme dont elles sont imprégnées.

LEXIQUE

A

Accommoder (s') (III, 8) : s'arranger, se faire une raison.
Affronter (III, 11) : attaquer avec hardiesse, tromper.
Amplifier (III, 6) : tenir des propos exagérés.
Amuser (III, 1) : faire perdre son temps ; d'où : occuper.
Arrêter (I, 10) : retenir à son service.
Arrêter (II, 11) : décider, fixer.
Au moins (I, 3 ; II, 12) : expression d'insistance fréquemment
   employée alors dans le langage parlé (vraiment).

D

Défaite (I, 10) : mauvaise excuse.
D'où vient (I, 10 et 12 ; II, 2) : pourquoi.

E

Enfance (III, 6) : enfantillage, puérilité.
Établissement (II, 3) : état (avantageux).

F

Faire du bien (I, 3) : faire des dons, procurer des ressources.
Fatiguer (III, 1) : harceler.
Fidélité (I, 12 ; II, 13) : loyauté.
Figure (I, 10) : apparence physique (l'« air » désignait, par
    opposition, l'idée que peut donner un être de son apparte-
    nance sociale).
Friponner (I, 8) : commettre un larcin, une escroquerie.

H

Honnête (I, 1) : poli. (Ailleurs, peut avoir le sens moderne.)
Honnêtement (I, 14) : poliment.

M

Magot (II, 10) : gros singe.
Malice (II, 10) : malignité, volonté de nuire.

P

Parti (I, 6) : condition, situation (façon de désigner les appoin-
    tements).
Particulier (I, 14) : extraordinaire, singulier.
Prise (II, 12) : querelle.

R

Ramener (I, 14) : radoucir, apaiser.
Remettre (se) (I, 15) : se souvenir.
Renverser (I, 14) : mettre sens dessus dessous, bouleverser.
    (Plutôt que la folie, ce verbe pouvait désigner le bouleverse-
    ment mental.)

Revenir (I, 14) : se remettre (d'une maladie).
Revenir (III, 11) : se réconcilier.

S

Serviteur (I, 3 ; II, 3) : adieu (formule employée pour prendre congé).
Soutenir (se) (I, 2) : tenir sur ses jambes.

T

Tantôt (II, 2 et 9) : « tout à l'heure » (Abrégé du *Dictionnaire de Trévoux*).
Tout à l'heure (II, 6 ; III, 7) : tout de suite, à l'instant.

RÉSUMÉ

Acte I. Passionnément amoureux d'Araminte, veuve d'un financier, Dorante lui a été recommandé comme intendant par son oncle, M. Remy. Introduit dans la maison par Arlequin, « benêt » plein de zèle (sc. 1), il y rencontre en secret son ancien valet, Dubois, désormais au service d'Araminte, qui le rassure avec entrain sur le succès de leur « projet » commun : « tout ruiné [qu'il] est », il épousera cette femme immensément riche (sc. 2) ! M. Remy entre à son tour, et c'est pour « fiance[r] », séance tenante, son neveu à Marton, la suivante d'Araminte (sc. 3-5)… Celle-ci apprécie la « bonne façon » de Dorante quand il la salue de la terrasse (sc. 6) et l'accueille avec beaucoup de sympathie, en déplorant l'injustice sociale (sc. 7). Arlequin, qu'elle met à son service, est d'abord choqué par cette idée (sc. 8), mais s'y range avec enthousiasme lorsque Dorante lui donne de l'argent pour aller « boire » à sa santé (sc. 9).

Pour éviter le procès qui pourrait opposer au sujet de la possession d'une terre sa fille au comte Dorimont, héritier d'un si « beau nom », Mme Argante, qui ne rêve que noblesse, a prévu de les marier : elle invite le nouvel intendant à déclarer à Araminte, quel que soit « son droit », que « si elle plaidait, elle perdrait ». Comme il n'y consent pas, elle ne juge cet « ignorant » bon qu'à être renvoyé (sc. 10). Marton, beaucoup trop tentée par le « présent » que lui a promis le Comte, se soucie peu de voir sa maîtresse victime d'une « tromperie » : elle ne peut ni ne veut rien comprendre aux mises en garde de Dorante (sc. 11). Le jeune homme informe ensuite Araminte de l'algarade qu'il vient d'avoir avec sa mère ; elle le rassure en s'indignant des « mauvais procédés » qu'on pourrait avoir « avec [lui] » (sc. 12).

Dubois intervient alors tout à coup : il « feint de voir Dorante avec surprise », tandis que celui-ci « [détourne] la tête », comme pour « se cacher » de lui (sc. 13). Dans un entretien confidentiel avec Araminte, il évoque longuement l'amour fou que lui porte Dorante ; d'abord prête à congédier un soupirant aussi passionné, elle se borne finalement à demander un « profond secret » à son domestique (sc. 14). Ayant en principe promis au Comte de « prendre » l'intendant qu'il lui enverrait, elle fait part à Dorante de ses scrupules, mais elle lui permet finalement d'examiner les « papiers » du litige et laisse voir son trouble (sc. 15). « Comme passant », Dubois rend compte des dispositions d'Araminte à son ancien maître en quelques mots bien choisis (sc. 16). Pour commencer à jeter « dans tous les esprits les soupçons » que son complot exige, il suggère à Marton, tout à fait incrédule, que Dorante « fait les yeux doux » à « Madame » (sc. 17).

Acte II. Après avoir étudié sérieusement l'affaire d'Araminte, Dorante lui assure qu'« [elle peut] plaider en toute sûreté ». Il lui propose d'envoyer Dubois comme concierge dans une de ses terres ; mais elle tient à garder auprès d'elle ce « garçon de confiance » (sc. 1). M. Remy vient chercher d'urgence son neveu pour le marier, cette fois, à une dame de trente-cinq ans, pourvue de quinze mille livres de rente… Araminte est émue de voir que Dorante refuse obstinément cette proposition (sc. 2) et M. Remy attribue l'attitude de Dorante à l'amour qu'il voue à Marton, ce qui plonge celle-ci dans le ravissement (sc. 3). Quant au Comte, il pense pouvoir mettre l'intendant « dans [ses] intérêts » en le soudoyant (sc. 4).

Un garçon-joaillier vient livrer à « monsieur Dorante » le portrait d'une dame (sc. 5-6), dont Marton se saisit en pensant qu'il s'agit du sien (sc. 7-8). Mais lorsqu'elle ouvre la petite boîte, en présence du Comte et de Mme Argante, on s'aperçoit avec stupeur que c'est le portrait d'Araminte. Très gênée, celle-ci affecte de croire que le destinataire en était le Comte (sc. 9) ; mais, à cet instant, surgissent Arlequin et Dubois, en pleine querelle : Dubois ne vient-il pas de décrocher un tableau représentant Araminte, que Dorante contemplait avec délectation (sc. 10) ? Pour apaiser les soupçons de sa mère, Araminte lui dit qu'elle va interroger Dubois, pour savoir s'il peut lui fournir « des motifs raisonnables de renvoyer cet intendant » (sc. 11).

Comme Dubois lui ôte tout prétexte de dénier la passion de Dorante, elle décide de « tendre un piège » au jeune homme (sc. 12). Elle lui dicte une lettre où elle annonce au Comte que « [leur] mariage est sûr » (sc. 14). Ce tête-à-tête est interrompu à deux reprises par Marton qui surprend Dorante aux genoux de sa maîtresse (sc. 15). Dubois réapparaît dans deux scènes éclair. Araminte lui affirme qu'elle n'a « rien vu d'approchant à ce qu'[il lui avait] conté » (sc. 16). Puis il se refuse à « écoute[r] » Dorante, en lui disant seulement de se rendre au jardin (sc. 17).

Acte III. À l'instigation de Dubois, Dorante a écrit une lettre à porter dans un quartier qu'Arlequin ne connaît pas, en lui recommandant de s'adresser à Marton pour se renseigner. Mais il a grand-peur que tout finisse mal (sc. 1). Influencée de son côté par Dubois (sc. 2), la jeune fille s'empare de la lettre en proposant à Arlequin d'envoyer quelqu'un d'autre à sa place (sc. 3). Mme Argante prend, avec le Comte, des dispositions pour évincer Dorante (sc. 4). Elle intime à M. Remy l'ordre de « retirer » son neveu ; ce qu'il prend très mal (sc. 5). Leur querelle continue en présence d'Araminte. Elle ironise sur l'amour que lui porterait son intendant, mais indique qu'elle va le garder (sc. 6) et tient à le rassurer (sc. 7). Marton apporte la lettre, et le Comte la lit à haute voix : Dorante y évoque sa « malheureuse passion » pour Araminte dont la position devient donc de plus en plus difficile (sc. 8). Seul avec elle, Dubois affecte de se vanter d'avoir détourné la lettre : Araminte attribue alors ses initiatives au « plaisir de faire du mal » et le congédie (sc. 9). Venue trouver sa maîtresse pour « [demander s]on congé », Marton regrette amèrement d'avoir « persécuté » Dorante et se réconcilie, mélancoliquement, avec elle (sc. 10). Arlequin évoque en sanglotant la détresse de Dorante (sc. 11). Lorsque celui-ci vient rendre compte à Araminte de l'état de ses affaires, les deux jeunes gens sont pris par une violente émotion, et, peu après, ce sont leurs aveux. «Charmé[e]» par la «sincérité» de Dorante (sc. 12), Araminte annonce en quelques mots ses dispositions au Comte qui finalement se montre beau joueur : il ne plaidera pas (sc. 13).

Préface de Michel Gilot   7

LES FAUSSES CONFIDENCES

Acte I   31
Acte II   74
Acte III   119

DOSSIER

Chronologie   161
Notice   167
Note sur la présente édition   174
Les Fausses Confidences *à la scène*   176
Repères bibliographiques   192
Notes   197
Lexique   207
Résumé   210

DU MÊME AUTEUR

Dans la même collection

LE JEU DE L'AMOUR ET DU HASARD. *Préface de Catherine Naugrette-Christophe. Édition établie et annotée par Jean-Paul Sermain.*
LE TRIOMPHE DE L'AMOUR. *Édition présentée et établie par Henri Coulet.*
LES FAUSSES CONFIDENCES. *Édition présentée et établie par Michel Gilot.*
LA DOUBLE INCONSTANCE. *Édition présentée et établie par Françoise Rubellin.*
L'ÉPREUVE. *Édition présentée et établie par Henri Coulet.*
LA SURPRISE DE L'AMOUR – LA SECONDE SURPRISE DE L'AMOUR. *Édition présentée et établie par Henri Coulet.*
LES SINCÈRES – LES ACTEURS DE BONNE FOI. *Édition présentée et établie par Henri Coulet.*
LE PRINCE TRAVESTI. *Édition présentée et établie par Henri Coulet.*

Dans la collection Folio Classique

LE PAYSAN PARVENU. *Édition présentée et établie par Henri Coulet.*
LA VIE DE MARIANNE. *Édition présentée et établie par Jean Dagen.*
L'ÎLE DES ESCLAVES. *Édition présentée et établie par Henri Coulet.*

COLLECTION FOLIO THÉÂTRE
Dernières parutions

48. MOLIÈRE : *Le Bourgeois gentilhomme.* Édition présentée et établie par Jean Serroy.

49. Luigi PIRANDELLO : *Henri IV.* Édition de Robert Abirached. Traduction de Michel Arnaud.

50. Jean COCTEAU : *Bacchus.* Édition présentée et établie par Jean Touzot.

51. John FORD : *Dommage que ce soit une putain.* Édition de Gisèle Venet. Traduction nouvelle de Jean-Michel Déprats.

52. Albert CAMUS : *L'État de siège.* Édition présentée et établie par Pierre- Louis Rey.

53. Eugène IONESCO : *Rhinocéros.* Édition présentée et établie par Emmanuel Jacquart.

54. Jean RACINE : *Iphigénie.* Édition présentée et établie par Georges Forestier.

55. Jean GENET : *Les Bonnes.* Édition présentée et établie par Michel Corvin.

56. Jean RACINE : *Mithridate.* Édition présentée et établie par Georges Forestier.

57. Jean RACINE : *Athalie.* Édition présentée et établie par Georges Forestier.

58. Pierre CORNEILLE : *Suréna.* Édition présentée et établie par Jean-Pierre Chauveau.

59. William SHAKESPEARE : *Henry V.* Édition de Gisèle Venet. Traduction nouvelle de Jean-Michel Déprats. Édition bilingue.

60. Nathalie SARRAUTE : *Pour un oui ou pour un non.* Édition présentée et établie par Arnaud Rykner.

61. William SHAKESPEARE : *Antoine et Cléopâtre.* Préface et traduction nouvelle d'Yves Bonnefoy. Édition bilingue.

62. Roger VITRAC : *Victor ou les enfants au pouvoir.* Édition présentée et établie par Marie-Claude Hubert.

63. Nathalie SARRAUTE : *C'est beau.* Édition présentée et établie par Arnaud Rykner.

64. Pierre CORNEILLE : *Le Menteur. La Suite du Menteur.* Édition présentée et établie par Jean Serroy.

65. MARIVAUX : *La Double Inconstance.* Édition présentée et établie par Françoise Rubellin.

66. Nathalie SARRAUTE : *Elle est là.* Édition présentée et établie par Arnaud Rykner.

67. Oscar WILDE : *L'Éventail de Lady Windermere.* Édition de Gisèle Venet. Traduction de Jean-Michel Déprats.

68. Eugène IONESCO : *Victimes du devoir.* Édition présentée et établie par Gilles Ernst.

69. Jean GENET : *Les Paravents.* Édition présentée et établie par Michel Corvin.

70. William SHAKESPEARE : *Othello.* Préface et traduction nouvelle d'Yves Bonnefoy. Édition bilingue.

71. Georges FEYDEAU : *Le Dindon.* Édition présentée et établie par Robert Abirached.

72. Alfred de VIGNY : *Chatterton.* Édition présentée et établie par Pierre- Louis Rey.

73. Alfred de MUSSET : *Les Caprices de Marianne.* Édition présentée et établie par Frank Lestringant.

74. Jean GENET : *Le Balcon.* Édition présentée et établie par Michel Corvin.

75. Alexandre DUMAS : *Antony.* Édition présentée et établie par Pierre-Louis Rey.

76. MOLIÈRE : *L'Étourdi.* Édition présentée et établie par Patrick Dandrey.

77. Arthur ADAMOV : *La Parodie.* Édition présentée et établie par Marie-Claude Hubert.

78. Eugène LABICHE : *Le Voyage de Monsieur Perrichon.* Édition présentée et établie par Bernard Masson.

79. Michel de GHELDERODE : *La Balade du Grand Macabre.* Préface de Guy Goffette. Édition de Jacqueline Blancart-Cassou.

80. Alain-René LESAGE : *Turcaret.* Édition présentée et établie par Pierre Frantz.

81. William SHAKESPEARE : *Le Songe d'une nuit d'été.* Édition de Gisèle Venet. Traduction de Jean-Michel Déprats. Édition bilingue.

82. Eugène IONESCO : *Tueur sans gages.* Édition présentée et établie par Gilles Ernst.

83. MARIVAUX : *L'Épreuve.* Édition présentée et établie par Henri Coulet.

84. Alfred de MUSSET : *Fantasio.* Édition présentée et établie par Frank Lestringant.

85. Friedrich von SCHILLER : *Don Carlos.* Édition de Jean-Louis Backès. Traduction de Xavier Marmier, revue par Jean-Louis Backès.

86. William SHAKESPEARE : *Hamlet.* Édition de Gisèle Venet. Traduction de Jean-Michel Déprats. Édition bilingue.

87. Roland DUBILLARD : *Naïves hirondelles.* Édition présentée et établie par Michel Corvin.

88. Édouard BOURDET : *Vient de paraître.* Édition présentée et établie par Olivier Barrot et Raymond Chirat.

89. Pierre CORNEILLE : *Rodogune.* Édition présentée et établie par Jean Serroy.

90. MOLIÈRE : *Sganarelle.* Édition présentée et établie par Patrick Dandrey.

91. Michel de GHELDERODE : *Escurial* suivi de *Hop signor!.* Édition présentée et établie par Jacqueline Blancart-Cassou.

92. MOLIÈRE : *Les Fâcheux.* Édition présentée et établie par Jean Serroy.

93. Paul CLAUDEL : *Le Livre de Christophe Colomb.* Édition présentée et établie par Michel Lioure.

94. Jean GENET : *Les Nègres.* Édition présentée et établie par Michel Corvin.

95. Nathalie SARRAUTE : *Le Mensonge.* Édition présentée et établie par Arnaud Rykner.

96. Paul CLAUDEL : *Tête d'Or.* Édition présentée et établie par Michel Lioure.

97. MARIVAUX : *La Surprise de l'amour* suivi de *La Seconde Surprise de l'amour*. Édition présentée et établie par Henri Coulet.

98. Jean GENET : *Haute surveillance*. Édition présentée et établie par Michel Corvin.

99. LESSING : *Nathan le Sage*. Édition et traduction nouvelle de Dominique Lurcel.

100. Henry de MONTHERLANT : *La Reine morte*. Édition présentée et établie par Marie-Claude Hubert.

101. Pierre CORNEILLE : *La Place Royale*. Édition présentée et établie par Jean Serroy.

102. Luigi PIRANDELLO : *Chacun à sa manière*. Édition de Mario Fusco. Traduction de Michel Arnaud.

103. Jean RACINE : *Les Plaideurs*. Édition présentée et établie par Georges Forestier.

104. Jean RACINE : *Esther*. Édition présentée et établie par Georges Forestier.

105. Jean ANOUILH : *Le Voyageur sans bagage*. Édition présentée et établie par Bernard Beugnot.

106. Robert GARNIER : *Les Juives*. Édition présentée et établie par Michel Jeanneret.

107. Alexandre OSTROVSKI : *L'Orage*. Édition et traduction nouvelle de Françoise Flamant.

108. Nathalie SARRAUTE : *Isma*. Édition présentée et établie par Arnaud Rykner.

109. Victor HUGO : *Lucrèce Borgia*. Édition présentée et établie par Clélia Anfray.

110. Jean ANOUILH : *La Sauvage*. Édition présentée et établie par Bernard Beugnot.

111. Albert CAMUS : *Les Justes*. Édition présentée et établie par Pierre-Louis Rey.

112. Alfred de MUSSET : *Lorenzaccio*. Édition présentée et établie par Bertrand Marchal.

113. MARIVAUX : *Les Sincères* suivi de *Les Acteurs de bonne foi*. Édition présentée et établie par Henri Coulet.

114. Eugène IONESCO : *Jacques ou la Soumission* suivi de

L'avenir est dans les œufs. Édition présentée et établie par Marie-Claude Hubert.

115. Marguerite DURAS : *Le Square*. Édition présentée et établie par Arnaud Rykner.

116. William SHAKESPEARE : *Le Marchand de Venise*. Édition de Gisèle Venet. Traduction de Jean-Michel Déprats. Édition bilingue.

117. Valère NOVARINA : *L'Acte inconnu*. Édition présentée et établie par Michel Corvin.

118. Pierre CORNEILLE : *Nicomède*. Édition présentée et établie par Jean Serroy.

119. Jean GENET : *Le Bagne*. Préface de Michel Corvin. Édition de Michel Corvin et Albert Dichy.

120. Eugène LABICHE : *Un chapeau de paille d'Italie*. Édition présentée et établie par Robert Abirached.

121. Eugène IONESCO : *Macbett*. Édition présentée et établie par Marie-Claude Hubert.

122. Victor HUGO : *Le Roi s'amuse*. Édition présentée et établie par Clélia Anfray.

123. Albert CAMUS : *Les Possédés* (adaptation du roman de Dostoïevski). Édition présentée et établie par Pierre-Louis Rey.

124. Jean ANOUILH : *Becket ou l'Honneur de Dieu*. Édition présentée et établie par Bernard Beugnot.

125. Alfred de MUSSET : *On ne badine pas avec l'amour*. Édition présentée et établie par Bertrand Marchal.

126. Alfred de MUSSET : *La Nuit vénitienne. Le Chandelier. Un caprice. Il faut qu'une porte soit ouverte ou fermée*. Édition présentée et établie par Frank Lestringant.

127. Jean GENET : *Splendid's* suivi de *«Elle»*. Édition présentée et établie par Michel Corvin.

128. Alfred de MUSSET : *Il ne faut jurer de rien* suivi de *On ne saurait penser à tout*. Édition présentée et établie par Sylvain Ledda.

129. Jean RACINE : *La Thébaïde ou les Frères ennemis*. Édition présentée et établie par Georges Forestier.

130. Georg BÜCHNER : *Woyzeck*. Édition de Patrice Pavis.

Traduction de Philippe Ivernel et Patrice Pavis. Édition bilingue.

131. Paul CLAUDEL : *L'Échange*. Édition présentée et établie par Michel Lioure.

132. SOPHOCLE : *Antigone*. Préface de Jean-Louis Backès. Traduction de Jean Grosjean. Notes de Raphaël Dreyfus.

133. Antonin ARTAUD : *Les Cenci*. Édition présentée et établie par Michel Corvin.

134. Georges FEYDEAU : *La Dame de chez Maxim*. Édition présentée et établie par Michel Corvin.

135. LOPE DE VEGA : *Le Chien du jardinier*. Traduction et édition de Frédéric Serralta.

136. Arthur ADAMOV : *Le Ping-Pong*. Édition présentée et établie par Gilles Ernst.

137. Marguerite DURAS : *Des journées entières dans les arbres*. Édition présentée et établie par Arnaud Rykner.

138. Denis DIDEROT : *Est-il bon ? Est-il méchant ?*. Édition présentée et établie par Pierre Frantz.

139. Valère NOVARINA : *L'Opérette imaginaire*. Édition présentée et établie par Michel Corvin.

140. James JOYCE : *Exils*. Édition de Jean-Michel Rabaté. Traduction de Jean-Michel Déprats.

141. Georges FEYDEAU : *On purge Bébé !*. Édition présentée et établie par Michel Corvin.

142. Jean ANOUILH : *L'Invitation au château*. Édition présentée et établie par Bernard Beugnot.

143. Oscar WILDE : *L'Importance d'être constant*. Édition d'Alain Jumeau. Traduction de Jean-Michel Déprats.

144. Henrik IBSEN : *Une maison de poupée*. Édition et traduction de Régis Boyer.

145. Georges FEYDEAU : *Un fil à la patte*. Édition présentée et établie par Jean-Claude Yon.

146. Nicolas GOGOL : *Le Révizor*. Traduction d'André Barsacq. Édition de Michel Aucouturier.

147. MOLIÈRE : *George Dandin ou le Mari confondu* suivi de *La Jalousie du Barbouillé*. Édition présentée et établie par Patrick Dandrey.

148. Albert CAMUS : *La Dévotion à la croix* (de Calderón). Edition présentée et établie par Jean Canavaggio.

149. Albert CAMUS : *Un cas intéressant* (d'après Dino Buzzati). Edition présentée et établie par Pierre-Louis Rey.

150. Victor HUGO : *Marie Tudor*. Édition présentée et établie par Clélia Anfray.

151. Jacques AUDIBERTI : *Quoat-Quoat*. Édition présentée et établie par Nelly Labère.

152. MOLIÈRE : *Le Médecin volant. Le Mariage forcé.* Édition présentée et établie par Bernard Beugnot.

153. William SHAKESPEARE : *Comme il vous plaira.* Édition de Gisèle Venet. Traduction de Jean-Michel Déprats.

154. SÉNÈQUE : *Médée*. Édition et traduction de Blandine Le Callet.

155. Heinrich von KLEIST : *Le Prince de Hombourg*. Édition de Michel Corvin. Traduction de Pierre Deshusses et Irène Kuhn.

156. Miguel de CERVANTÈS : *Numance*. Traduction nouvelle et édition de Jean Canavaggio.

157. Alexandre DUMAS : *La Tour de Nesle*. Édition de Claude Schopp.

158. LESAGE, FUZELIER et D'ORNEVAL : *Le Théâtre de la Foire, ou l'Opéra-comique* (choix de pièces des années 1720 et 1721 : *Arlequin roi des Ogres, ou les Bottes de sept lieues, Prologue de La Forêt de Dodone, La Forêt de Dodone, La Tête-Noire*). Édition présentée et établie par Dominique Lurcel.

159. Jean GIRAUDOUX : *La guerre de Troie n'aura pas lieu.* Édition présentée et établie par Jacques Body.

160. MARIVAUX : *Le Prince travesti.* Édition présentée et établie par Henri Coulet.

161. Oscar WILDE : *Un mari idéal.* Édition d'Alain Jumeau. Traduction de Jean-Michel Déprats.

162. Henrik IBSEN : *Peer Gynt.* Édition et traduction de François Regnault.
163. Anton TCHÉKHOV : *Platonov.* Édition de Roger Grenier. Traduction d'Elsa Triolet.

Composition Interligne
Impression Novoprint
à Barcelone, le 2 septembre 2015
Dépôt légal : septembre 2015
Premier dépôt légal dans la collection : décembre 2005

ISBN 978-2-07-040057./Imprimé en Espagne.

293255